LE RÉGIME HYPERPROTÉINÉ

La solution aux problèmes de poids

C'est naturel, c'est ma santé

LE RÉGIME HYPERPROTÉINÉ

La solution aux problèmes de poids

Dr Jean-Charles Théresy

Alpen Éditions
9, avenue Albert II
98000 Monaco

Jean Charles Thérésy exerce à Paris.
Il est spécialisé dans la nutrition du sportif, de l'enfant et de la femme en période de ménopause.

9, avenue Albert II
MC - 98000 MONACO
Tél. : *00377 97 77 62 10*
Fax : *00377 97 77 62 11*

Direction : *Christophe Didierlaurent*
Suivi éditorial : *Fabienne Desmarets*
Mise en page et infographie : *Alexandre Milhem*

Crédits photos :
Dynamic Graphic, Image 100, Stockbyte, Digital vision, Image source, Banana Stock, Image State

Dépôt légal : *2008*
ISBN13 : 978-2-916784-15-1

Imprimé en France
Imprimerie Baud,
Dépôt légal n°579 : 2008
Saint-Laurent-du-Var

Introduction

L'alternative protéinée

Les problèmes de santé liés au surpoids sont de plus en plus fréquents et représentent aujourd'hui un véritable enjeu en termes de santé publique. Cependant, les nombreuses tentatives pour palier ces problèmes se soldent souvent par un échec. C'est ce constat qui a favorisé l'émergence de protocoles nutritionnels incluant en phase de départ l'ingestion de grandes quantités de protéines en même temps que de très faibles quantités d'hydrates de carbone (sucres). C'est cela qui permet d'avoir très rapidement, en deux jours, une importante réduction de l'appétit et des pulsions alimentaires, ainsi qu'un maintien optimal de la masse maigre (notamment musculaire) en même temps qu'une fonte rapide de la masse grasse.

« L'information ne suffit pas »

On constate dans de très nombreux pays du monde une recrudescence préoccupante de la proportion de personnes atteintes de surcharge pondérale, tout

AVERTISSEMENT

Les informations contenues dans ce livre ne peuvent pas remplacer un avis autorisé. Avant toute automédication, consultez un médecin ou un pharmacien qualifié.

particulièrement ces dix dernières années, et qui touche une population de plus en plus jeune. Paradoxalement, c'est dans le pays où l'information est la plus présente et où il existe même des mesures fiscales d'incitation à la prise en charge du surpoids que ce problème est le plus fréquent. Aux Etats-Unis, en effet, plus de 20 % des adultes sont considérés comme obèses.

« Le paradoxe des régimes classiques »

La prévalence de l'obésité étant en augmentation constante dans nos pays industrialisés, on comprend aisément que les demandes d'amaigrissement soient de plus en plus fréquentes. Malheureusement, les différentes méthodes proposées ou essayées (quasi expérimentalement) pour perdre les kilos en trop se révèlent la plupart du temps inefficaces, presque toujours sur le moyen terme, mais également souvent sur le très court terme : il est fréquent que les femmes soient désespérées car elles ont repris en quelques jours les kilos qu'elles venaient de perdre, aux prix d'efforts et de restrictions considérables, avec des programmes alimentaires carencés, farfelus voire dangereux les obligeant à ne presque plus rien manger si elles voulaient ne serait-ce que maintenir les résultats obtenus. Cette sorte de « fuite en avant » conduit à des troubles du comportement alimentaire et peut même être à l'origine d'une surcharge pondérale ultérieure plus importante qu'initialement, ce qui fait souvent dire que les régimes font grossir !

Pourtant, aujourd'hui plus encore qu'avant, on peut proposer aux personnes désirant perdre durablement du poids un protocole efficace, vite encourageant, simple et gratifiant. Le régime protéiné peut constituer une réponse adaptée à ces demandes, s'il est prescrit à bon escient, c'est-à-dire en respectant les indications, les contre-indications et la durée de traitement.

TABLE DES MATIÈRES

PETITE HISTOIRE DES RÉGIMES

Près de 100 ans que l'on tente de nous faire maigrir

Les régimes très pauvres en calories ont été expérimentés depuis 80 ans environ :

- À cette époque, **Mason** donne à ses patients 500 kcal/jour pendant 100 jours.
- En 1929, **Evans** publie un article relatant un régime à 400 kcal/jour avec une supplémentation de 50 g en protéines.
- En 1959, **Bloom** fait des recherches sur le jeûne absolu : le contrôle de la faim se fait remarquablement bien, et la perte de poids est spectaculaire, mais elle se fait aux dépens de la masse musculaire, le premier muscle touché étant le muscle cardiaque (myocarde), ce qui aboutit à de graves accidents et à l'arrêt de cette méthode dans les cures d'amaigrissement. Il faut rappeler que certains organes du corps, au premier rang desquels le cerveau, ont un impératif besoin de glucose. En situation de jeûne, le moyen le plus rapide pour l'organisme de se procurer du glucose est de le puiser dans les muscles et non dans la graisse.

Des doses de protéines optimales

Fort de ce constat, c'est en France, que le Pr **Marian Apfelbaum** le premier proposa

dans des cures d'amaigrissement une supplémentation protéinée qualitativement et quantitativement suffisante (40 à 60 g d'albumine) afin de protéger au mieux la masse musculaire. Les résultats furent publiés en 1966.
C'est en 1973 que le Pr **Blackburn**, de l'université Harvard, établit de façon précise les besoins protéiques nécessaires pour protéger au mieux la masse maigre et pour faire fondre la masse grasse. Grâce à ses recherches, et aux conclusions auxquelles elles aboutirent, le principe de la diète protéinée acquit ses bases fondatrices.

Les constatations étaient les suivantes :
- l'insuline favorise le stockage des graisses et s'oppose à leur déstockage ;
- le surplus de masse grasse facilite la résistance à l'insuline ;
- la solution est donc un régime hypocalorique excluant tout hydrate de carbone (sucre) pour neutraliser l'effet lipogénétique de l'insuline. Ce régime protège au mieux la masse maigre si l'on prend soin de donner des protéines en quantité et en qualité (haute valeur biologique) suffisantes.

Victime de son succès

C'est à cette époque que les régimes protéinés commencèrent à connaître un grand succès car il semblait que l'on avait enfin trouvé le moyen de maigrir vite et bien. Malheureusement, l'engouement fut tel que ces régimes devinrent victimes de leur succès, moins bien contrôlés médicalement, faits sur des délais de temps trop longs et sans surveillance médicale, en oubliant la plupart du temps l'indispensable supplémentation vitaminique, en ne respectant pas nécessairement les contre-indications, et surtout en utilisant des protéines de mauvaise qualité biologique, peu onéreuses, en vente libre.

Un retour sous contrôle

De nos jours, ces problèmes ne sont plus de mise, les protéines utilisées étant d'excellente qualité et leur valeur biologique rigoureusement contrôlée. Les laboratoires sérieux et les officines pharmaceutiques qui proposent ce type de protéines exigent d'ailleurs **un certificat médical de non contre-indication** avant de délivrer la quantité de sachets protéinés nécessaires à une première phase.

L'excès de poids sous toutes ses formes

On grossit parce qu'on mange trop et mal mais pas seulement...

L'obésité est l'étape ultime du surpoids, caractérisé par un excès de graisse dans le corps, résultant d'un déséquilibre entre les apports caloriques quotidiens et les dépenses énergétiques : le corps ne peut pas brûler toutes les calories apportées. Il les stocke donc en réserves que l'on retrouve sous forme de triglycérides dans la masse grasse.
La raison la plus fréquemment invoquée pour expliquer ce surplus est l'association d'un mode de vie de plus en plus sédentaire et d'une alimentation de plus en plus riche. Cependant, les choses ne sont pas tout à fait aussi simples.

L'indice de référence du surpoids

Aujourd'hui, la définition médicale de l'obésité repose sur le calcul de l'indice de masse corporelle (I.M.C). Il est à noter d'ailleurs que le calcul de l'I.M.C. n'a de signification que pour les adultes entre 16 et 70 ans. Pour les enfants et les personnes âgées, d'autres méthodes de calcul sont utilisées. On trouve son I.M.C. en faisant un calcul assez simple : il s'agit du rapport entre le poids, exprimé en kilogrammes, divisé par le carré de la taille, exprimée en mètres carrés.

Par exemple, pour une personne mesurant 1,60 m. et pesant 60 kg, on fait l'opération suivante : 1,60 x 1,60 = 2,56. D'où un IMC de 60/2,56 = 23,43.
À partir de ce calcul et par référence à des tables préétablies, on peut situer son niveau de poids :

- La maigreur pour un IMC inférieur à 18,5
- Un poids normal pour un IMC compris entre 18,5 et 25
- Un surpoids pour un IMC compris entre 25,1 et 30
- L'obésité pour un IMC supérieur à 30, en distinguant 3 sous-groupes :
  - obésité modérée entre 30 et 35 ;
  - obésité importante, ou sévère, entre 35 et 40 ;
  - obésité massive, ou morbide (c'est-à-dire susceptible d'engendrer rapidement un problème de santé), au-dessus de 40.

D'autres indices utiles

De plus en plus de médecins préfèrent travailler aujourd'hui avec d'autres valeurs que le seul IMC : il s'agit notamment du tour de taille qui se mesure facilement avec un mètre de couturière au niveau de l'ombilic (nombril), et qui renseigne sur la graisse abdominale. Or c'est précisément celle-ci qui peut être préoccupante au niveau de la santé car elle est le reflet de la graisse viscérale, qui peut s'accumuler autour des viscères et des organes, comme le cœur et les artères. Un important tour de taille mesuré à l'ombilic renseigne sur ce que l'on appelle le syndrome métabolique. Chez les femmes, cette mesure ne doit pas dépasser 90 cm, et chez les hommes elle doit être inférieure à 100 cm. Récemment, ces valeurs ont été révisées à la baisse pour les Européens : 94 cm pour les hommes et 80 cm pour les femmes.
En outre, on peut également se servir du taux de masse grasse pour préciser un diagnostic d'obésité ou de surcharge pondérale : un sportif de haut niveau aura par exemple un poids élevé, et par conséquent un IMC élevé lui aussi, mais ne sera pas considéré comme étant en surcharge pondérale car ce poids est essentiellement constitué de masse musculaire, donc maigre, et non de masse grasse. Le calcul de la masse grasse se fait aisément de nos jours avec des balances perfectionnées, dites à « impédancemètrie », c'est à dire utilisant la propriété du courant électrique de circuler moins vite dans la graisse que dans les autres parties du corps.

L'embonpoint dans le monde

La population mondiale compte aujourd'hui plus de 6 milliards d'individus. La moitié est sous-alimentée, tandis que l'autre est en train de devenir obèse... Une première dans l'histoire de l'humanité.

Ce n'est pas encore le cas objectivement, mais cela pourrait le devenir vite compte tenu de la progression quasiment exponentielle de l'obésité, qui est aujourd'hui la première maladie non infectieuse de l'histoire par le nombre de personnes atteintes, par sa vitesse de progression et par ses répercussions sur les coûts de la santé si l'on considère l'ensemble des pathologies qui en découlent. C'est la raison pour laquelle de nombreux auteurs ne parlent maintenant plus d'épidémie, mais de pandémie (épidémie à une échelle mondiale) pour cette pathologie.

Un monde de gros

- Le périmètre abdominal **moyen** en France a augmenté de 4 cm ces dix dernières années.
- Cette prévalence de l'obésité est encore plus importante chez l'enfant que chez l'adulte : en 2005, 20 % des enfants français étaient touchés par l'obésité ou le surpoids.
- L'O.M.S. chiffre à plus de 300 millions le nombre d'adultes en surcharge pondérale, la plupart d'entre eux souffrant, à des degrés divers de gravité, de pathologies en rapport avec cette surcharge. Le tiers de ces adultes vivent dans les pays en voie de développement.
- Selon ces chiffres, 20 millions de personnes seraient en surpoids en France, plus de 100 millions aux États-Unis. La proportion d'obèses dans ces 2 pays serait respec-

tivement de 6 millions et de 35 millions. On estime qu'en 2010, 20 % des enfants américains pourraient être réellement obèses, et pas simplement trop forts.

- Dans certaines îles du Pacifique, l'obésité affecte près des deux tiers de la population.
- L'Europe compte 30 % d'adultes en surcharge pondérale.
- L'obésité massive, ou morbide, touche 100 000 à 200 000 personnes en France. Dans cette tranche de population, on dénombre un tiers d'hypertendus, un tiers de diabétiques, et un tiers d'anomalies des lipides (graisses) sanguins (cholestérol et/ou triglycérides). Cela ne veut néanmoins pas dire que tous les obèses dont l'I.M.C. est supérieur à 40 % sont malades : en effet, une même personne peut avoir plusieurs pathologies concomitantes (par exemple diabète et hypertension artérielle) d'une part, et d'autre part il existe d'autres pathologies en rapport avec l'excès de poids que les trois précédemment mentionnées (rhumatologiques et articulaires notamment).

Une priorité mondiale

L'Organisation Mondiale de la Santé a fait de la prévention et de la prise en charge de l'obésité une priorité absolue. En France, comme dans beaucoup de pays du monde (pays occidentaux ou « occidentalisés », mais aussi pays émergents), l'obésité ne cesse de progresser, et ceci est particulièrement visible dans notre pays depuis 1977. Entre 1977 et 2003, la proportion de personnes en surpoids a augmenté de 13 % en France, et l'obésité massive, ou morbide, a doublé.

De nombreux kilos cachés

On sait que ces chiffres représentent une estimation minimale, car dans les différentes enquêtes menées pour les obtenir (enquête Insee, et Obepi), les données recueillies sont les poids et tailles rapportés par les individus eux-mêmes, et non ceux mesurés par un investigateur extérieur, ce qui aboutit au phénomène bien connu d'une sous-estimation de la prévalence de l'obésité. C'est effectivement parfois difficile d'avouer son vrai poids...

Une origine préhistorique

Selon les experts, c'est pêndant la Préhistoire que notre organisme a appris à stocker et faire des réserves.

La théorie la plus fréquemment invoquée aujourd'hui pour expliquer la progression rapide de l'obésité est connue sous le nom de théorie du chasseur-cueilleur. Nos ancêtres préhistoriques se trouvaient constamment confrontés à des situations de crises en matière d'alimentation : chasser le mammouth pouvait, certes, rapporter gros, mais était terriblement dangereux, et rares étaient les moments où l'on pouvait se repaître et faire la fête autour d'un banquet paléolithique ! Les temps étaient alors plus aux disettes et aux famines qu'à l'abondance. De ce fait, peu d'entre eux survécurent, les plus résistants y arrivèrent, mais beaucoup moururent de faim et de maladies liées à la sous-alimentation. Au cours des millénaires, cette sélection naturelle a continué, en éliminant les plus faibles, et l'évolution n'a conservé que ceux qui étaient le plus « programmés » pour stocker (et donc résister au manque nutritionnel), au détriment de ceux qui, au contraire, avaient un métabolisme qui ne leur permettait pas de faire suffisamment de réserves. Si nous sommes là aujourd'hui, bien (et bons) vivants, c'est parce que nous descendons des chanceux qui ont réussi à passer au travers de ces crises.

Les excès de l'après-guerre

Notre patrimoine génétique contient donc les informations de stockage alimentaire. Jusqu'à la seconde moitié du XXe siècle, cela n'a pas posé d'énormes problèmes. Mais brutalement, avec les progrès technologiques et les changements de mode de vie,

l'homme a vu son environnement se modifier totalement, s'automatiser, se robotiser. Il est devenu plus que sédentaire, il est devenu immobile.
Dans le même temps, alors que le mode de vie changeait de manière incroyable, une autre « révolution » s'opérait : la nourriture devenait plus abondante, plus disponible, et beaucoup plus riche. La densité calorique des aliments était sans commune mesure avec ce que l'on avait connu jusque-là.
Ainsi, sommes-nous en train d'assister à un véritable télescopage entre un programme génétique dont les mutations successives depuis des centaines de milliers d'années ont abouti à une meilleure mise en réserve des calories absorbées et un bouleversement en quelques dizaines d'années du mode de vie et de l'offre alimentaire. Cette nourriture trop grasse, trop riche et trop abondante, associée à une sédentarité nettement accrue et très soudaine, survenant sur un terrain qui n'est pas spécialement programmé pour dépenser les calories, a fait véritablement exploser le poids de nos congénères. Notre métabolisme n'arrive plus à « gérer l'ingéré ».

De bonnes excuses aux kilos en trop

Il existe bien entendu d'autres causes possibles à l'obésité, notamment endocriniennes (hormonales, thyroïdienne, surrénalienne, ovarienne) ou médicamenteuses. Mais d'une part elles sont peu nombreuses et ne représentent qu'un faible pourcentage (5 %) par rapport aux raisons citées précédemment (environnementales, comportementales et génétiques), et d'autre part elles ne sont pas en progression exponentielle, mais relativement stationnaires.

Quels risques ?

Pour notre santé, mieux vaut être rond du bas que du haut.

Autant le surpoids localisé au niveau des cuisses et des fesses (forme gynoïde) ne représente pas, médicalement, un risque majeur, si ce n'est une disgrâce esthétique parfois gênante, autant l'obésité androïde (touchant la taille et le ventre) s'avère dangereuse pour la santé et est associée à un risque nettement accru de morbidité (maladies) et de mortalité.
L'obésité représente un facteur de risque pour tous les organes et multiplie l'incidence de nombreuses pathologies.

Avant tout une histoire de cœur

L'appareil cardio-vasculaire est le premier concerné, par la fréquence de survenue des complications chez l'obèse, mais aussi par la gravité de ces complications. On assiste à une augmentation du nombre (risque multiplié par 5) et à une précocité de l'âge de survenue (moins de 30 ans) de l'angine de poitrine et, à un stade plus avancé, de l'infarctus du myocarde.
Les risques circulatoires sont également majorés chez le sujet obèse par l'apparition fréquente d'hypertension artérielle dans ce groupe.

La respiration s'accélère

L'obésité se traduit aussi par de nombreux problèmes respiratoires, dont le plus dangereux, et peut-être le plus sournois, est l'apnée du sommeil. Cette pathologie peut devenir très grave, car elle débute par une légère fatigue dans la journée, puis, au fil des mois et des années, par une réelle somnolence diurne ainsi qu'une oxygénation de plus en plus médiocre des tissus, aboutissant souvent, là encore, à l'infarctus du myocarde.

Plus de rhumatismes

Un des systèmes les plus touchés par l'excès de poids est le squelette et l'appareil locomoteur (articulations, tendons). L'effet est ici essentiellement mécanique, les forces s'exerçant sur les surfaces articulaires étant beaucoup trop fortes, cela finit par les user et finalement les détruire. L'usure des cartilages articulaires s'appelle l'arthrose, coxarthrose pour la hanche ou gonarthrose pour le genou. D'où la survenue fréquente de lumbago, pincement de disques, hernie discale ou sciatique, chez les personnes en surpoids.

Attention au diabète

L'obésité multiplie également le risque de survenue du diabète de type II. Cette pathologie, en explosion phénoménale dans le monde, se caractérise par un taux de sucre trop élevé dans le sang. Les conséquences de cette maladie sont particulièrement redoutables, notamment pour le cœur et les vaisseaux (**infarctus**, **artérite** et obstruction des petits vaisseaux avec risque de **gangrène et amputation**), les yeux, surtout au niveau de la rétine (risque de **cécité**), et les reins (risque d'insuffisance rénale et de **dialyse** à vie).

Peut-être cancérigène

Il semble que l'excès pondéral soit directement responsable de 5% des cancers en Europe. Il existe une relation directe entre l'IMC et le risque de cancer du sein après la ménopause. En outre, le pronostic de ces cancers serait moins bon en cas d'IMC élevé (donc plus de cancers, et plus « agressifs »).
La relation est également observable entre IMC et cancer colo-rectal, l'adiposité abdominale favorisant les gros adénomes au niveau du colon, et ceux-ci se transformant plus fréquemment en tumeurs malignes.
On discute aujourd'hui de la corrélation possible entre obésité et fréquence de survenue des cancers de la **prostate**, du **rein**, du **pancréas** et de l'**œsophage**.

Reflet de l'état d'âme

On a souvent l'image de la personne en surpoids comme étant joviale, bonne vivante assumant ses rondeurs.
Or il se cache souvent derrière cette image une personne complexée face à la société actuelle de l'image et du paraître. Cela ne manquera pas de générer stress, angoisse, anxiété et dépression, autant de pathologies favorisant le grignotage, les compulsions alimentaires incontrôlables.
Les conséquences de cet état moral sont nombreuses dans la vie courante, aussi bien privée que professionnelle.

A vos tours de taille !

Attention au petit bidon de la cinquantaine, il constitue un réel danger pour la santé.

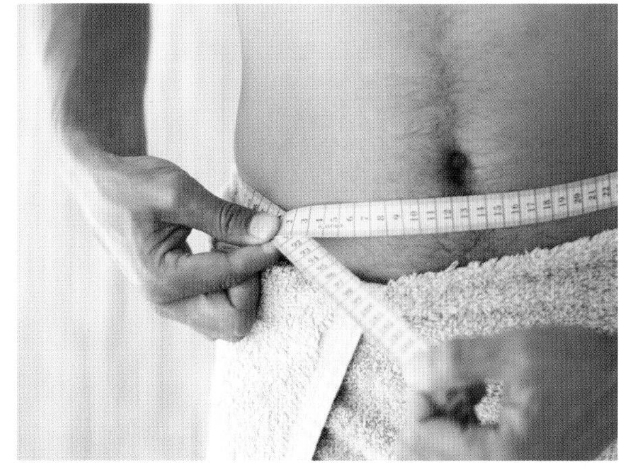

Plus encore que l'excès de poids global, le syndrome métabolique mérite d'être appréhendé avec beaucoup d'attention, car il est associé à une adiposité viscérale : c'est cette graisse autour des organes internes (viscères) qui est préjudiciable pour la santé.
Il s'agit d'un excès de poids, plus souvent **modéré** qu'une obésité massive, d'où le danger car cette surcharge est volontiers négligée ou minimisée (le petit bidon de la cinquantaine).
La surcharge du syndrome métabolique se caractérise cliniquement par une localisation **abdominale** ; il s'agit donc d'une définition **topographique**. Ce que l'on considère, parfois avec une certaine bonhomie, comme une avenante « bedaine » ou une gentille « brioche », peut se révéler être un danger réel pour la santé. Une publicité en Grande-Bretagne montrant la taille un peu enveloppée d'un monsieur encore assez jeune avait pour légende : « Vous appelez cela des poignées d'amour, nous appelons cela un facteur de risque cardio-vasculaire », et c'était signé d'une fondation de cardiologie. Évidemment, nous autres Gaulois avons tendance à considérer ce message comme particulièrement rabat-joie, et Obélix doit avoir les tresses qui se dressent sur la tête quand il entend de pareils propos !

A prendre au sérieux

Le syndrome métabolique est associé à de nombreuses anomalies, parmi lesquelles :

- Une moins bonne tolérance au glucose encore appelée « **résistance à l'insuline** ». Celle-ci est une hormone sécrétée par le pancréas, dont un des rôles est de **permettre l'entrée du glucose (sucre) dans les cellules**, ce qui est absolument indispensable à leur bon fonctionnement. Or, l'élément de base du syndrome métabolique est la **résistance** des tissus cibles pour capter le glucose sous l'action de l'insuline. La conséquence est une diminution du glucose dans les cellules, et donc une augmentation du glucose dans le sang (**diabète**).
- Une **dyslipidémie**, c'est à dire une anomalie des taux de graisses dans le sang, avec augmentation du cholestérol et des triglycérides.
- D'autres **anomalies sanguines** augmentant (encore !) le risque vasculaire dont entre autres :

- Une anomalie des facteurs de la coagulation sanguine favorisant la thrombose (obstruction) des vaisseaux.
- Une augmentation du taux d'acide urique (hyper uricémie) à l'origine de complications également articulaires (goutte), tendineuse et rénales.

- Une tendance à l'**hypertension artérielle** endommageant gravement la tunique des vaisseaux sanguins.

Messieurs, à vos centimètres !

Le syndrome métabolique est identifié sur le tour de taille. Nous avons déjà vu que les critères étaient de plus en plus sévères pour définir les chiffres qui sont délétères pour la santé, passant de 88 à 80 cm pour les femmes et de 100 à 94 cm pour les hommes (en Europe). On a aussi longtemps utilisé le rapport tour de taille /tour de hanches comme facteur pronostic défavorable quand ce rapport est supérieur à 0,85 chez la femme et à 0,95 chez l'homme.

Une solution anti-cellulite ?

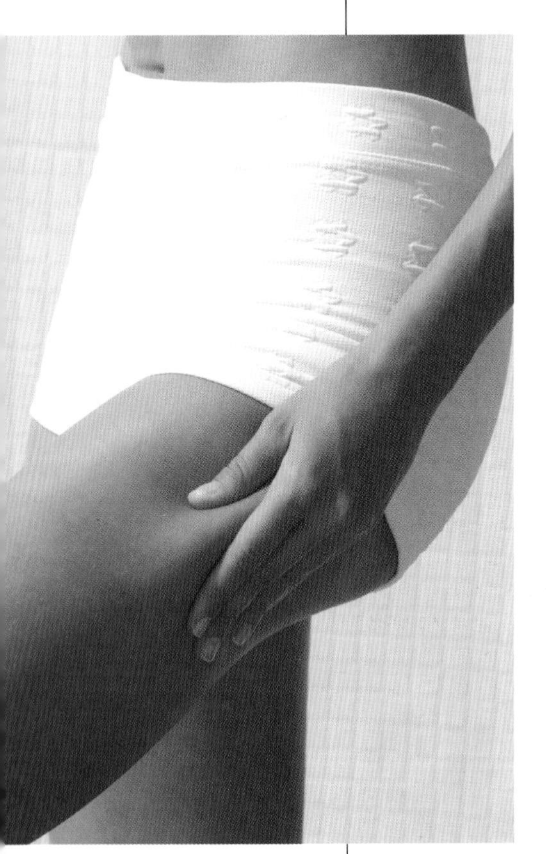

Contre ce type de graisses, le régime amaigrissant n'est qu'une partie d'une stratégie plus globale.

Ce qui est appelé communément « cellulite » correspond à un aspect particulier du tissu graisseux, essentiellement féminin (95 %), à la fois original dans sa **répartition** dans le corps et dans son **architecture tissulaire** :

- La localisation de la cellulite est essentiellement « gynoïde », touchant de manière prédominante les cuisses et les fesses (culotte de cheval).
- Au niveau des tissus, la cellulite se caractérise par des cellules de graisses « emprisonnées » dans du tissu conjonctif, fibreux et peu souple, et baignant dans de l'eau. C'est cet ensemble qui donne l'aspect caractéristique en « **peau d'orange** » de la cellulite.

Cette anomalie du tissu graisseux (lipodystrophie), même si elle est à l'origine de nombreuses demandes d'amaigrissement, peut fort bien concerner des femmes très minces, et n'a donc pas de rapport direct et évident avec l'excès de poids. Par conséquent, elle n'a pas du tout les mêmes conséquences sur la santé. Si les deux coexistent (cellulite et surpoids), le traitement du surpoids est entrepris prioritairement, et peut parfois, avoir un petit effet sur la cellulite en terme de volume. Il faut comprendre malgré tout que les **causes** de la cellulite sont plus familiales, ethniques (hanches rondes et large bassin dans le pourtour méditerranéen), hormonales, et micro-circulatoires qu'alimentaires : la prise en charge de ce souci, plus esthétique que médical, n'est donc pas le même qu'en cas de surcharge pondérale et l'aspect proprement nutritionnel n'occupe pas le premier plan du traitement.

Des résultats plus lents

Néanmoins, un régime hyperprotéiné peut être utile pour lutter contre la cellulite, mais alors soyez patiente car l'**amaigrissement** est inéluctablement **plus lent**, les graisses des cuisses et des fesses fondant plus lentement. En effet, celles-ci, sensibles au terrain hormonal très réceptif, sont volontiers inflammées et cette inflammation est à l'origine d'un tissu conjonctif fibreux qui enserre et emprisonne les lobules graisseux, beaucoup plus difficiles de ce fait à être éliminés. Pas d'esprit de compétition, donc, ou de course de vitesse entre une femme et son mari décidant conjointement de démarrer un régime protéiné. C'est, au début du moins, forcément l'homme qui aura la perte de poids la plus rapide, d'une part pour les raisons évoquées ci-dessus (répartition gynoïde ou androïde des graisses), mais d'autre part parce que l'homme a une musculature différente et supérieure à celle de son épouse et cette particularité fait qu'il brûle plus que sa compagne, à apports caloriques ou régimes équivalents.

LE RÉGIME HYPERPROTÉINÉ

Guide des bonnes pratiques

Que l'on souhaite maigrir pour sa santé ou changer de silhouette, le régime doit suivre le bon protocole.

Grande est la tentation de faire des régimes rapides, efficaces sur le très court terme, mais malheureusement souvent carencés, farfelus, voire dangereux, qui se terminent inévitablement par un effet rebond, c'est-à-dire une reprise du poids parfois plus importante que le poids initial. C'est pourquoi, depuis plusieurs années, se tiennent de nombreuses tables rondes et colloques, où médecins et chercheurs se réunissent, de manière à définir les stratégies et les recommandations de bonne conduite (« guidelines ») qui aideront au mieux leurs patients en demande d'amaigrissement.

Ainsi les régimes protéinés sont-ils normalement très bien codifiés et encadrés. On connaît de manière précise leurs indications, leurs contre-indications, l'indispensable supplémentation vitaminique qui les accompagne, leur durée et les **différentes phases de réintroduction alimentaire qui leur font suite**. Ce n'est qu'à cette condition, de rigueur et de sérieux, que les régimes protéinés peuvent parfois trouver leur place dans une démarche beaucoup plus globale de prise en charge du poids.

Les fausses bonnes idées

On a récemment entendu, à juste titre, qu'en nutrition, les idées simples étaient fausses. Proposer à quelqu'un, dont la problématique est complexe, un régime protéiné comme moyen de se débarrasser de son surpoids, est une idée trop simpliste pour être possible. En effet, le régime protéiné n'est mis en route que si l'on a préalablement défini avec le patient une prise en charge beaucoup plus générale, incluant des conseils non seulement nutritionnels, mais aussi physiques et comportementaux.

Autrement dit, les régimes protéinés, quand ils sont justifiés, ne représentent qu'une petite partie de la prise en charge diététique. Il faut aussi tenir compte d'autres paramètres, professionnels, familiaux, environnementaux (degré de stress, transports), comportementaux (aspect primordial de la **rééducation alimentaire** que n'aborde pas du tout le régime hyper protéiné) et physique (degré et fréquence de l'**activité physique**) entre autres.

Le juste prix

Ne vous trompez pas d'objectif : il serait par exemple illusoire de vouloir traiter votre obésité avec le seul régime protéiné. En revanche, il n'est pas du tout illusoire de considérer ce régime protéiné comme un starter, un démarrage très encourageant, une sorte de bouée de sauvetage pour tous ceux qui traînent derrière eux une problématique longue, complexe, ancienne et multifactorielle.

N'ayez pas peur de grossir !

Plus que dominer votre poids, vous devez apprendre à dominer votre peur de grossir. La société dans laquelle nous vivons aujourd'hui véhicule volontiers des valeurs de réussite, de performance, de vitesse et de jeunesse à tout prix. Cela est plutôt anxiogène, surtout pour ceux qui luttent et qui n'y arrivent pas, se sentant dans une dynamique d'échec. Cela est « idéal » pour faire le lit du déséquilibre, et c'est la raison pour laquelle on dit souvent que le fait d'avoir peur de grossir fait grossir.

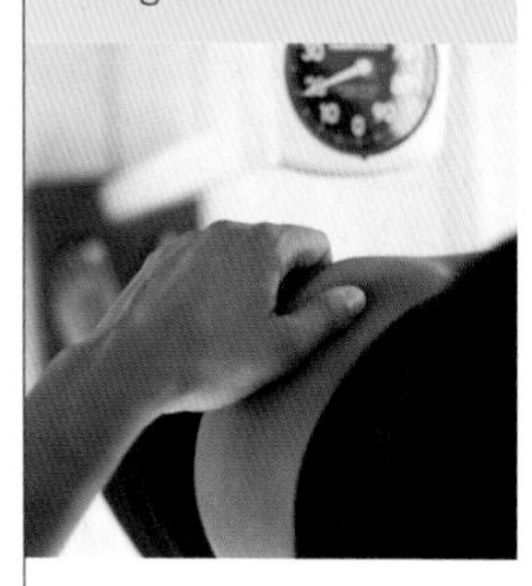

Les règles du jeu

Spectaculaire, le régime protéiné fait perdre du poids, beaucoup et vite, sans sensation de faim. Sous certaines conditions...

Certains principes de prescription doivent être respectés si l'on veut éviter une désillusion à la hauteur des vertus quasi magiques qu'on a bien voulu attribuer au régime hyperprotéiné. Ces « règles du jeu » doivent émailler tout le parcours de la prise en charge du poids pour éviter les pièges que pourrait engendrer un régime : mal fait (sans suivi médical), trop fait (mauvaises indications, phases strictes trop fréquentes), trop long (paliers non respectés, phase d'attaque trop longue).

Éviter de quantifier

Un régime, quel qu'il soit, ne doit pas se juger sur le nombre de kilos perdus, à l'instar d'une compétition, mais sur la **stabilité** de cette perte de poids. Celle-ci doit parfois être quelque peu révisée à la baisse, et plus modeste que ce que l'on avait prévu au départ. Là encore, il peut y avoir une différence entre le poids idéalisé et le poids de forme que l'on peut raisonnablement atteindre. S'il devient arithmétique, le rapport à l'alimentation sera nécessairement perverti.

Éviter de chronométrer

D'une manière générale, la prise en charge d'un excès de poids doit obligatoirement être longue, car il s'agit d'un problème multifactoriel. Ce n'est donc pas une compétition où le plus rapide gagnerait. La notion de **réussite**, si on ne l'assimile pas seulement aux kilos perdus, mais plutôt aux kilos non repris et au bien-être, va clairement dans le sens de la **sens de la lenteur**.

Néanmoins, le fait d'obtenir au début un résultat vite gratifiant, notamment en volume (diminution de la masse grasse) et en comportement (« je n'ai plus faim, je n'ai plus de pulsions alimentaires »), peut encourager à poursuivre ses efforts.

Éviter de standardiser

Les images véhiculées par les médias, parfois de manière subliminale (messages publicitaires, affiches) incitent à avoir une représentation mentale de soi calquée sur ces modèles assez standardisés. Il est nécessaire d'en avoir conscience pour éviter d'y adhérer à tout prix. En effet, on ne peut pas toujours avoir le poids que l'on aurait aimé atteindre, même symboliquement. Cette course effrénée vers cet **idéal** chimérique, **modélisé**, peut s'avérer très déstabilisante source d'anxiété.

Les plus

Ainsi, si l'on respecte ces quelques règles simples, un régime protéiné pourra avoir de nombreux avantages par rapport à une prise en charge plus « classique » (régime hypocalorique simple) dès le départ.

- **Le bon suivi** d'un traitement est grandement fonction **des résultats initiaux**, et que ceux-ci sont incomparablement plus gratifiants en commençant par une phase protéinée.
- Cette étape permet un **suivi** plus proche et une surveillance beaucoup plus étroite, ce qui est souvent très **rassurant** et réconfortant lorsqu'on est prêt à tout pour maigrir.
- Cette phase vous oblige à un **engagement**, vis-à-vis de vous-même et de votre médecin, et que cet engagement jouera le rôle de guide pour canaliser un parcours difficile.
- Il s'agit d'une **formule simple** à appliquer et qu'il n'y a pas (ou peu) de questions à se poser sur ce qui est autorisé ou non et sur les quantités à ne pas dépasser (quasiment rien à peser ou mesurer).
- C'est une mesure **radicale** et que cela peut vous aider lorsque vous avez des invitations fréquentes ou mangez dans une cantine pas toujours bien équilibrée. Au moins, au cours de cette phase, les risques de dérapages ou d'erreurs sont réduits à zéro.

Corps gras, corps maigre : l'équilibre

Entre muscles et graisses : une juste proportion à trouver pour rester mince durablement.

Le corps peut se diviser en deux grands compartiments

• **La masse grasse.**
Elle se constitue à partir des excédents énergétiques, c'est-à-dire des calories ingérées et non utilisées. Ces réserves sont appelées triglycérides. On peut avoir une idée de l'importance de ce tissu adipeux en mesurant le pli cutané, notamment tricipital mesuré en pinçant la peau située à l'arrière du bras. On compare le résultat obtenu à des tables qui indiquent les valeurs dites « normales », variant en fonction de l'âge et du sexe. Le tissu adipeux est utile car il nous protège du froid en jouant un rôle d'isolant thermique et entraîne de ce fait une moindre dépense calorique pour lutter contre le froid.
En outre, le tissu adipeux est économe : il utilise très peu de calories. De ce fait, une personne ayant une importante proportion de graisses dépense moins d'énergie, à apport calorique identique, que quelqu'un ayant plus de masse maigre.

• **La masse non grasse.**
Elle-même comprend :
- L'eau **extra**-cellulaire, représentée par le plasma sanguin et l'eau du milieu interstitiel dans lequel baignent les cellules et où se font les échanges.
- La masse musculaire, vite dégradée en cas de jeûne, et la masse viscérale (viscères, organes, squelette), conservée assez longtemps même en cas de jeûne prolongé. Ce milieu contient lui aussi de l'eau mais qui est alors appelée eau **intra**-cellulaire.
La masse musculaire, elle, est très consommatrice d'énergie, **même au repos**. Aussi, une personne très musclée a une dépense énergétique de repos (DER ou métabolisme de base) beaucoup plus élevée qu'une autre moins musclée.

Ne soyez pas trop strict !

Une alimentation trop restrictive n'est pas sans conséquence sur l'évolution du poids au cours d'un régime. En effet, si l'on réduit inconsidérément l'apport calorique sans veiller à protéger la masse maigre, c'est-à-dire sans apport protéique suffisant, on va constater assez rapidement une diminution de la masse maigre. En effet, si l'on n'apporte pas de protéines au corps, celui-ci va « manger ses propres protéines ». Il y aura fonte musculaire. Or, cette fonte musculaire participe inévitablement à une diminution de la dépense énergétique, et cela ne peut aboutir, d'après ce que l'on a vu précédemment, qu'à un ralentissement (voire une interruption !) de la perte de poids. Paradoxalement, ce sont les régimes restrictifs et mal adaptés qui empêchent de maigrir! La consommation énergétique du corps étant de plus en plus faible, on est obligé de manger de moins en moins pour perdre ne serait-ce que quelques centaines de grammes.
Les régimes protéinés, au contraire, permettent d'éviter cet écueil. Même s'ils réduisent effectivement l'apport calorique de manière significative, ils apportent une quantité de protéines suffisamment importante pour que le corps puisse au mieux maintenir sa masse maigre. Il n'y aura donc pas de diminution du métabolisme basal et pas « d'échappement » de l'efficacité. Ces régimes permettront un amaigrissement constant, durable et harmonieux.

Comment ça marche ?

Manger beaucoup de protéines, peu de sucres et de graisses pour puiser dans notre stock de graisses : le principe de base.

Le régime protéiné consiste à donner de bonnes doses de protéines, en **même temps** à n'apporter presque aucune source de glucides (sucres) et bien sûr, le moins de graisses (lipides) possible. C'est cette **simultanéité** qui est à l'origine de la production de **corps cétoniques**. Ils peuvent, dans certaines conditions pathologiques, être le reflet d'un mauvais fonctionnement de l'organisme (acidocétose du diabétique), mais, en l'occurrence, vont se révéler **utiles et fort bien adaptés** à la situation de régime protéiné.

Des capacités high-tech naturelles

Pour apprécier au mieux l'extraordinaire adaptation de notre corps à une situation de crise, comme celle qui consiste à ne manger quasiment que des protéines, il va nous falloir faire un peu (un tout petit peu) de chimie, afin de comprendre « ce qui se passe à l'intérieur ».

L'intérêt de consommer des protéines de façon conséquente protège la masse musculaire, dont on ne répétera jamais assez que le chef de file est le muscle cardiaque (myocarde). Il semble donc plus qu'important de ne pas l'entamer !

Cette alimentation oblige l'organisme à se servir de la petite **réserve en sucres** dont il dispose, en particulier au niveau du foie (hépatique) et des muscles. Ces sucres de réserve sont appelés **glycogène**. Après 24 h, l'organisme les a toutes épuisées.
L'organisme n'aura alors pas d'autre choix que de trouver de l'énergie dans les **réserves de graisses**, stockées sous forme de **triglycérides**.

Une histoire d'enzymes

Après une réaction enzymatique (appelée hydrolyse), une partie de ces triglycérides pourra être transformée par le foie en **glucose** : on voit déjà la merveilleuse adaptation du corps qui arrive, à partir de la graisse, à « obtenir » du sucre. L'autre partie de ces triglycérides (acide gras libres) subira à son tour deux voies métaboliques possibles : 40 % de ces acides gras libres seront directement utilisés comme source d'énergie par les muscles, tandis que les 60 % restant seront transformés dans le foie (encore lui). Après plusieurs étapes chimiques successives, cela aboutira à la formation de **corps cétoniques**. Il faut environ 48 à 72 heures à l'organisme pour obtenir cette transformation chimique. Il faut donc 2 à 3 jours pour ressentir les effets positifs, **euphorisants et modérateurs d'appétit**, d'un régime protéiné. On voit là la nécessité de « maintenir le cap » pendant les deux premiers jours de son régime, même si les effets positifs se font attendre, et que ces 2 premiers jours ne sont pas les plus faciles.
À partir de leur formation dans le foie, les corps cétoniques vont à leur tour participer à une série de réactions chimiques, et entrer dans le cycle de la production d'énergie dont le corps a besoin (cycle de Krebs).

Que d'atouts !

Les corps cétoniques :
- Suppriment la faim et la plus grande partie des pulsions alimentaires.
- Fournissent 25 % de l'énergie dont l'organisme a besoin.
- Apportent 80 % des besoins du cerveau.
- Inhibent (empêchent) la protéolyse (destruction) musculaire.

Zéro calcul, zéro tracas

Comparé à la plupart des régimes amaigrissants, le régime hyperprotéiné présente de multiples avantages

On l'a déjà vu précédemment, le premier avantage du régime protéiné est sa **facilité** de mise en route : pas de règles compliquées à connaître, pas d'équivalences à rechercher, pas de questions à se poser sur ce qui est, ou non, autorisé, rien à peser, pas de contraintes horaires, pas de notion de structure des repas à respecter, pas de choix cornélien à faire, pas de connaissances nutritionnelles particulières à avoir.
Il s'agit bien évidemment des avantages de la première phase de ce régime. En effet, il est évident que l'on ne pourra pas indéfiniment faire l'économie d'un apprentissage alimentaire et d'une rééducation comportementale. Mais il est vraiment agréable de se dire que, pour démarrer, et pour avoir des résultats immédiatement très encourageants, les règles du jeu sont simples et vraiment peu contraignantes.

Sauvetage immédiat

Il arrive que lorsque l'on a un grave pépin de santé, on soit obligé de faire un séjour en service de réanimation, avant d'être ensuite hospitalisé dans un service de moyen séjour, puis enfin en convalescence. Le régime protéiné présente des similitudes avec cette « réa » indispensable et cela fait partie de ses avantages. Il agit en effet comme une solution courte, mais urgente et tout de suite **efficace**, quand le problème de poids devient problématique au point d'être obsédant, quand on ne se supporte plus, et que le corps envoie des signaux de détresse tels que l'on ne peut pas se contenter de conseils de bon sens et de « simple » équilibre. Le régime protéiné permet de bousculer le métabolisme en remettant les compteurs à zéro et en agissant là où les autres tentatives d'amaigrissement échouent.

Ça donne la pêche !

Le régime protéiné **supprime la faim** en 48 à 72 heures ! C'est même le seul régime naturel (sans médicaments) qui permette ce résultat. En effet, même si le régime est strict, le fait de ne pas avoir faim le rend finalement très facile. Ce sont les corps cétoniques qui ont cette propriété naturelle modératrice d'appétit. Il n'y a que ces corps cétoniques qui présentent cet avantage, sans avoir les inconvénients (effets secondaires, dangers) des coupe-faim médicamenteux. Le site d'action des corps cétoniques se trouve dans le cerveau, exactement au niveau du centre de la satiété. Parallèlement à ce soulagement très attendu, les corps cétoniques ont l'agréable propriété d'être plutôt **psychostimulants**, voire **euphorisants**. On a la pêche, on se sent particulièrement bien pendant cette phase.

« Visiblement rapide, rapidement visible »

Un autre atout souvent mis en avant pour ce régime concerne sa **rapidité** d'action et de résultats. Il demande des efforts, certes, mais ceux-ci sont très rapidement récompensés. C'est extrêmement gratifiant, surtout lorsque l'on a déjà expérimenté maints et maints régimes qui eux aussi demandent des efforts (la notion d'effort est constante pour quiconque veut profondément changer) avec des résultats souvent lents et très peu encourageants. Avec le régime hyperprotéiné, non seulement les résultats sont rapides sur la balance, mais surtout ils sont **rapidement visibles**. S'attaquant en effet majoritairement à la masse grasse, le régime protéiné se traduit vite par une diminution en volume : la masse grasse a une densité assez faible. Elle ne pèse donc pas très lourd mais « s'étale » et prend de la place. Le fait d'en perdre se traduit immédiatement par une diminution de « la place occupée ». On dit souvent qu'il ne faut pas compter en kilos mais en centimètres et que le meilleur instrument de mesure n'est pas la balance mais les vêtements.

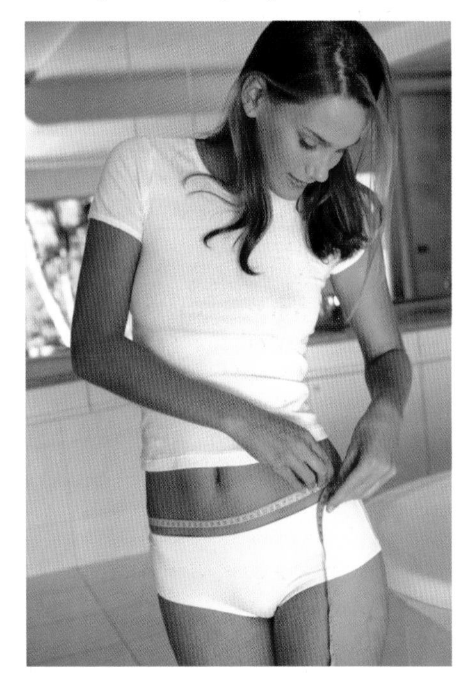

Barres, poudres... en pharmacie

On l'a bien compris, pour maigrir de façon durable, il est difficile de se lancer seul dans un régime hyperprotéiné en achetant n'importe quel produit soi-disant riche en protéines et vendu sans ordonnance. Bien sûr que ces produits ont leur place et peuvent servir en collation, ou remplacer avantageusement le sandwich le midi, mais en aucun cas cela peut constituer la base d'un régime protéiné sérieux.

Gare à l'effet poudre aux yeux

Comme tout régime, il a ses limites. Les connaître permet d'en garder les bénéfices de façon durable.

Assez curieusement, le régime protéiné **n'est pas un régime**. Il fait partie d'une prise en charge générale d'un problème de poids, et n'en représente que la première phase, mais ne peut être considéré à lui seul comme un véritable régime à part entière. Cela en fait un inconvénient, car il est tellement efficace que les gens ont tendance à s'en servir en tant que **finalité**, et ne font pas, après cette phase, le nécessaire travail de réadaptation alimentaire qui permettra la stabilisation.

« Trop de régime tue le régime »

On peut également souligner le fait que le régime protéiné est en quelque sorte **victime de son succès**. C'est vrai que le côté spectaculaire des résultats, ainsi que l'effet coupe-faim, ont incité beaucoup de gens (patients, comme médecins) à l'utiliser trop, trop longtemps. Il y a eu des « ratés » : régime pas exactement fait comme il faut, et alors manque de résultats, ou rechutes, reprise de poids. Il n'y a d'ailleurs pas que les médecins ou les patients en cause dans cette attitude. Tout le monde s'est engouffré dans ce créneau, pharmaciens, laboratoires diététiques avides du marché juteux que cela pouvait représenter, et même les médias qui ont, dans un premier temps, encensé ces régimes, puis les ont, comme de bien entendu, copieusement critiqués ensuite. On constate aujourd'hui un net retour à une **attitude beau-**

coup plus raisonnable et pondérée. Après avoir constaté que ça marchait vraiment très bien au début, mais que cela ne suffisait pas pour avoir des résultats durables, les indications des régimes protéinés sont dorénavant clairement respectées.

Eviter la frustration-compulsion

Les critiques émises à propos de ce régime concernent également le risque de **restriction cognitive** qu'il entraîne, c'est-à-dire le risque de réduire ses apports caloriques de manière importante afin de perdre du poids. Cet état de restriction va provoquer un besoin irrépressible de consommer un aliment interdit à l'échelle de la **frustration** induite. L'efficacité du régime entrepris va cesser net aboutissant à un sentiment de culpabilité, de honte, de perte de contrôle et d'**échec**, renforçant l'image négative de soi.

Un timing à tenir

Enfin, il est évident que ce régime protéiné est **anti-convivial** et marginalisant car il ne permet pas de manger comme tout le monde se limitant aux sachets et à des légumes verts. Mais en même temps, c'est aussi la condition sine qua non pour que cette phase réussisse. En effet, la production de corps cétoniques ne peut se faire qu'à cette condition. Il est donc indispensable, pour bien réussir cette phase, de prévoir dans son emploi du temps une période d'environ une quinzaine de jours sans invitation ou réception, faute de quoi l'effet coupe-faim serait annulé.

Quels dangers ?

Bien indiqué le régime hyperprotéiné a peu d'effets négatifs, juste quelques inconforts.

- **Une hypotension orthostatique**, c'est-à-dire une chute de la pression artérielle, surtout au changement de position.

- **La frilosité.**

Quand on sait que la graisse est le meilleur isolant thermique du corps et que le régime protéiné fait essentiellement perdre de la graisse, on comprend aisément la survenue de cette sensibilité accrue au froid lors de ce régime. La seule solution consiste à se couvrir davantage.

- **Une modification de l'haleine.**

On a vu que le principe même du régime protéiné est basé sur la production de corps cétoniques. Or, ceux-ci sont extrêmement volatiles, passant de ce fait rapidement dans l'air expiré, ce qui donne une odeur caractéristique d'acétone à l'haleine. Il existe des sprays à base de chlorophylle qui combattent la mauvaise haleine et qui peuvent se révéler utiles dans cette circonstance.

- **Des maux de tête.**

Ils sont assez fréquents (20 % des cas), survenant essentiellement dans les trois premiers jours du régime puis s'estompant progressivement. Ils sont souvent le témoin que le régime « marche bien » et que la graisse est en train de fondre. Ils sont facilement soulagés avec les antalgiques habituellement utilisés contre les maux de tête.

• **Des troubles du transit.**
- La diarrhée est rare, mais elle se doit d'être traitée rapidement (antidiarrhéiques habituels) car elle expose au risque de déshydratation et surtout de perte de sels minéraux (potassium), potentiellement dangereuse.
- La constipation, quant à elle, n'est en fait le plus souvent qu'une constipation relative, due au manque d'aliments et donc de ballast intestinal.

• **Des crampes, surtout nocturnes.**
Elles surviennent dans environ 5 % des cas, plus fréquemment quand il existe des problèmes circulatoires préexistants et se corrigent facilement en prescrivant du calcium, du magnésium, ainsi que des toniques veineux.

• **Une faiblesse musculaire.**
Les premiers symptômes se font généralement sentir au niveau du dos (muscles paravertébraux), ainsi que lors de la montée d'un escalier. Il faut prendre ces symptômes au sérieux car ils traduisent un manque de potassium qu'il faut corriger par l'apport suffisant de sels de potassium.

• **Un cycle menstruel perturbé.**
Comme toujours quand il y a une grande modification des apports alimentaires chez la femme, le cycle menstruel est susceptible d'être perturbé. Ceci serait dû au fait que les oestrogènes sont en partie synthétisés par les cellules de graisses et que le régime protéiné réduit sévèrement le tissu graisseux.

Le bilan initial obligatoire

Répétons qu'un régime protéiné ne s'improvise pas et qu'une visite chez le médecin s'impose avant de l'entreprendre.

Cette consultation, **assez longue et complète**, précédera la phase active proprement dite. Elle comportera un interrogatoire, un examen clinique, et la prescription d'examens complémentaires de manière à éviter les contre indications. Ces trois phases constituent d'ailleurs la trame générale de tout examen médical. Il est aussi l'occasion de se mettre en condition, d'exprimer ses appréhensions, de travailler sur soi-même par des exercices de relaxation (respiratoires, visualisation d'une silhouette agréable, aménagement de périodes de calme) et d'imaginer de manière positive le déroulement du régime à venir et de la vie après régime (changement de façon de penser la nourriture, comportement plus serein, exercice physique, phases courtes de relaxation).

Pour mieux vous connaître

Il précise de nombreux éléments indispensables à la compréhension du problème de poids.

- L'histoire de l'évolution du poids : poids de naissance, évolution durant l'enfance, variations à l'adolescence, ancienneté du trouble, majoration des problèmes pondéraux au moment des grossesses, modification de la topographie des kilos à la ménopause, cures d'amaigrissement précédemment entreprises et répercussion sur la courbe pondérale.
- Antécédents familiaux : tendance familiale à l'embonpoint, pathologies connues chez les parents ou dans la fratrie (diabète, cholestérol, alcoolisme, insuffisance veineuse, hypertension artérielle et maladies cardiovasculaires).
- Antécédents personnels, médicaux, chirurgicaux, prise de médicaments pouvant influencer le poids, et anomalies biologiques (au niveau de la prise de sang), afin de détecter la présence éventuelle de contre-indications à la cure protéinée, ou au contraire pour confirmer l'utilité et l'opportunité d'une telle entreprise.
- Les habitudes alimentaires : alimentation régulière ou au contraire repas sautés, temps consacré aux repas, existence ou non de pulsions irrépressibles, pouvant être en rapport avec le stress, la fatigue, certains moments du cycle, attirance prononcée pour le salé ou le sucré (ou les deux), habitude de se resservir systématiquement une ou deux fois à table, horaire, lieu et prise du petit-déjeuner, notion de repas d'affaire ou de repas servis sans pouvoir choisir (plateaux-repas préparés à l'avance), prise de sandwiches, sorties, soirées, mode de vie festif, alcool et boissons sucrées (soda, même light), repas pris devant un écran (ordinateur ou télévision).
- Mode de vie : travail stressant, déplacements fréquents (train, avion), tabac, activité physique et sportive.
- N'oublions pas, enfin, que cette longue et importante partie de la consultation initiale que constitue l'entretien permet aussi de clairement définir la règle du jeu entre le médecin et son patient : le régime protéiné devra servir de tremplin permettant ensuite un travail plus long et parfois plus ingrat (parce que moins visible). Ce ne sera donc pas une finalité en soi, mais un starter, un outil dont il faut se servir, mais qu'il faut aussi savoir ranger quand la tâche à effectuer ne le nécessite plus.

À l'issue de cette première partie de la consultation, de nombreux renseignements auront été fournis, qui indiqueront la marche à suivre pour « coller au plus près » des habitudes, des goûts, et du mode de vie de la personne venue chercher une solution à ses problèmes de poids.

Bilan initial (suite) :

On vous observe

L'examen clinique représente ensuite un temps très important de la consultation et permet une première « photographie » médicale.

Il permet en outre de confirmer les idées que l'on avait pu avoir au cours de l'entretien, et précise certaines données (poids, taille, indice de masse corporelle, indice de masse grasse, périmètre ombilical) qui servent de références et quantifient objectivement les résultats obtenus, en comparant ces données chiffrées de base avec les nouvelles mesures de chaque consultation.

L'examen clinique complet et minutieux est également indispensable pour déceler des pathologies sous-jacentes, fréquentes en cas d'obésité (problèmes respiratoires, rhumatologiques, digestifs, cardiaques et tensionnels) et pour éliminer d'éventuelles contre-indications passées inaperçues à la phase précédente.

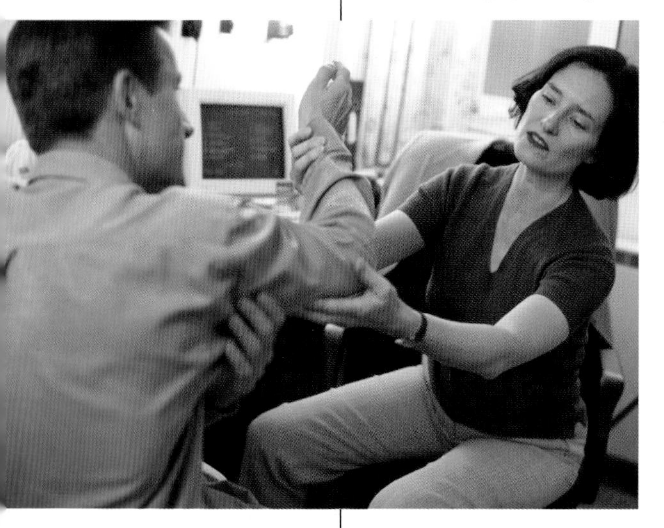

C'est la raison pour laquelle ce type d'examen clinique doit être systématique, pour passer en revue tous les organes et appareils de l'organisme car la surcharge pondérale peut avoir des répercussions à tous les niveaux.

Comme toujours, cet examen est d'abord fait visuellement : il s'agit du temps de l'inspection, qui renseignera sur la topographie de la surcharge pondérale, gynoïde (cuisses et fesses) ou au contraire androïde (tronc, abdomen), sur l'aspect de la peau, etc.

Viendra ensuite les autres temps de l'examen clinique :
- **La palpation**, à la recherche par exemple d'une hépatomégalie (foie de taille supérieure à la valeur attendue normalement pouvant être le signe d'un début de cirrhose) ou d'un ballonnement abdominal.
- **L'auscultation**, souvent synonyme, dans l'esprit des gens, de l'examen médical dans sa globalité, alors qu'il ne s'agit que de sa partie « acoustique », c'est-à-dire faite à l'aide du stéthoscope : cet instrument est une mine de renseignements pour le médecin (bruits du cœur, rythme, régularité, bruit respiratoire appelé poétiquement-la langue médicale est riche et très imagée- murmure vésiculaire, bruits hydro-aériques de l'intestin, etc.).

Encore une fois, il ne s'agit là que de quelques exemples illustrant ce que le médecin recherche avant de prescrire un régime protéiné.
À la fin de son examen clinique, le médecin ne « lancera » pas tout de suite le protocole du régime : il devra auparavant prescrire des **examens complémentaires**, destinés eux aussi à parfaire l'idée générale sur l'état de santé de son patient. Cela est d'une part très utile pour la suite (au moment où il faudra prodiguer des conseils adaptés à l'état général : on n'insistera pas, par exemple, sur les mêmes priorités chez quelqu'un ayant du cholestérol que chez un patient indemne de cette affection), mais bien sûr et avant tout cela permet d'identifier une ou plusieurs contre-indications non décelables à l'examen clinique.

Des contre-indications

Le régime hyperprotéiné met l'organisme dans des conditions particulières qui ne conviennent pas à tout le monde.

L'enfant et l'adolescent

Les raisons qui prévalent, pour ne pas proposer ce type de régime à l'enfant ou l'adolescent en surcharge sont de deux ordres, physiologique et comportemental :
- Au niveau physiologique, l'enfant est en pleine croissance, nécessitant donc un apport énergétique très élevé incompatible avec un régime restrictif.
- Au niveau comportemental, l'enfant en surcharge pondérale a besoin d'une rééducation et d'un apprentissage, lui et son entourage, plus que d'un régime qui risquerait au contraire de stigmatiser son comportement alimentaire et d'en faire un « diet-addict » à vie.

La femme enceinte, et celle qui allaite

Dans les deux cas, la priorité est l'équilibre alimentaire, pour le bien de la maman et celui de l'enfant et où toute forme de tentative d'amaigrissement rapide est totalement déplacée. Le travail est alors basé sur un équilibre dont le but n'est pas de faire perdre des kilos mais d'en faire prendre le moins possible.

Les problèmes graves d'origine rénale (insuffisance rénale)

La situation provoquée par la cétogenèse (fabrication de corps cétoniques), l'apport massif de protéines, et la possible déplétion sodée (perte de sel), présentent un risque de dégradation de la fonction rénale. Il est donc impératif d'avoir un fonctionnement des reins absolument parfait avant d'entreprendre un tel régime.

L'insuffisance hépatique

Le foie doit être en bon état avant de démarrer un régime protéiné, puisqu'il est le siège de nombreuses réactions indispensables au bon déroulement de ce régime (transformation de 60 % des triglycérides en acides gras au niveau hépatique, synthèse des corps cétoniques).

L'insuffisance cardiaque

En effet, ce cas de figure sous-entend un affaiblissement du myocarde qui ne rend pas souhaitable un tel régime, d'autant plus que les médicaments prescrits au cours de l'insuffisance cardiaque sont souvent incompatibles avec la supplémentation nécessaire en cas de régime protéiné (potassium, chlorure de sodium).

Infarctus du myocarde et accident vasculaire cérébral récents *(moins de 6 mois)*

Comme lors de tout régime très hypocalorique, on peut assister au cours d'un régime protéiné à une diminution du liquide intra-vasculaire (à l'intérieur des vaisseaux, ce que l'on appelle hypovolémie), et à une chute tensionnelle. Ces deux éléments conjugués ne feraient qu'aggraver un infarctus ou un accident vasculaire préexistant.

Certaines prises médicamenteuses

Comme quelques diurétiques ou autres antihypertenseurs, elles peuvent constituer une contre-indication au régime protéiné, car elles peuvent modifier l'équilibre ionique (sodium/potassium) et provoquer (régime protéiné) des désordres hydroélectrolytiques, aux répercussions graves sur la santé. En tout état de cause, il appartient au seul médecin de juger de l'opportunité d'un tel régime, en adaptant les doses et les produits le cas échéant.

Les troubles du comportement

Les troubles du comportement alimentaire de boulimie (parfois entrecoupée de phases anorexiques) ne sont pas une bonne indication de ce régime. Cela constitue même une contre-indication, au même titre que les troubles psychiatriques graves ou addictifs (alcoolisme), car la prise en charge, ici, doit être plus axée sur l'aspect cognitif, comportemental, et psychologique, que sur la dimension proprement diététique.

Est-il vraiment pour vous ?

Pour que le régime hyperprotéiné vous aide à maigrir et rester mince, assurez-vous qu'il vous convient vraiment.

Même si cela paraît évident, il n'est peut-être pas inutile de rappeler quelles sont les indications du régime protéiné, car si l'on vient d'en évoquer les contre-indications, cela ne veut pas automatiquement dire que tous les autres cas de surcharge pondérale doivent démarrer un régime protéiné. Ou alors faudra-t-il en spécifier les modalités : temps de traitement, protéines utilisées (par exemple origine double de protéines, en se servant des sachets, mais également de viande blanche et de poisson), présentation (soupes, soufflés, crèmes et entremets, barres), choix des protéines utilisées (vente par correspondance, magasins spécialisés, pharmacies), déroulement et choix des différentes séquences.

« Le cadre officiel »

Il est d'ailleurs intéressant de noter que ce protocole a fait l'objet d'une publication au *Bulletin Officiel de la concurrence, de la consommation, et de la répression des fraudes le 28/02/98*. On voit immédiatement l'aspect tout à fait encadré de ce protocole, ainsi que devraient l'être tous les régimes commençant par une phase très hypocalorique. Notons à cet effet qu'un régime comprenant par exemple 5 sachets par jour, auxquels sont ajoutés des légumes verts et des crudités apporte **moins de 800 Kcalories par jour** ; ce qui est très peu et nécessite la plus grande vigilance. D'où l'intérêt de ce fameux **cadre légal** qui entoure ces types de régimes.

Cette publication insiste sur deux points principaux : la teneur des préparations diététiques et l'information du consommateur et du prescripteur.

• Les préparations diététiques (en général des sachets dans la première phase) doivent répondre à un cahier des charges précis pour ce qui concerne :
- leur teneur en **énergie** : apport recommandé de 600 à 800 kcal/jour.
- leur teneur en **macronutriments** :
- Protéines : pas moins de 70 g/j, de bonne qualité biologique.
- Lipides : avec un bon rapport Oméga-3 / Oméga-6.
- Glucides : en insistant sur les glucides assimilables.
- leur teneur **en vitamines et minéraux** : là encore, la liste est longue et précise, et les préparations diététiques doivent fournir 100 % des éléments prévus sur cette liste.

• D'autre part, le prescripteur (médecin) et le consommateur, ainsi que celui qui délivre les produits (pharmacien, ou laboratoire diététique), doivent pouvoir connaître, outre la composition des préparations (ci-dessus), les effets secondaires, les contre-indications, les précautions d'emploi, et les indications des régimes protéinés :
- L'âge doit être compris entre 18 et 65 ans.
- Ces régimes doivent être proposés aux personnes en échec face aux régimes conventionnels (cette condition n'étant d'ailleurs pas très limitative, car on sait la grande proportion d'échecs dans les régimes dits classiques).
- On doit réserver ces régimes aux personnes souffrant d'obésité (IMC supérieur ou égal à 30).
- On peut prescrire ces régimes chez les sujets présentant un risque de complications en cas d'obésité, c'est-à-dire ayant une pathologie associée comme l'hypertension artérielle, l'hypercholestérolémie, l'hypertriglycéridémie, certains diabètes non insulinodépendants, l'arthrose vertébrale importante et arthrose des membres inférieurs, le syndrome métabolique (localisation abdominale de la graisse), et modification de la répartition des graisses chez la femme au moment de la ménopause, passant d'une localisation gynoïde (cuisses et fesses) à une topographie androÏde (abdomen).

Teneurs en **acides aminés essentiels** pour la protéine de référence (rapportées à 100 g).

- L isoleucine : 4 g
- L leucine : 7 g
- L lysine : 5,5 g
- DL méthionine + L cystine : 3,5 g
- L phénylalanine + L tyrosine : 6 g
- L thréonine : 4 g
- L tryptophane : 1 g
- L valine : 5 g

Quels produits utiliser ?

Pas facile de s'y retrouver parmi tous les produits proposés en pharmacie. Laissez faire votre médecin, il est votre meilleur conseiller.

Voilà, le médecin donne son feu vert pour une première phase de régime protéiné après avoir vérifié l'absence de contre-indications et il va prescrire un apport de protéines sous forme de sachets. Toute la question, à présent, va être de savoir **quels produits utiliser**, car le marché, juteux, que représentent les produits diététiques est pléthorique aujourd'hui et l'on peut trouver quasiment le médiocre (pas assez de protéines, mauvaise qualité des protéines choisies et manque d'acides aminés essentiels, trop de glucides ou de lipides) comme le meilleur.

« Pas sérieux s'abstenir »

Encore une fois, le fait d'avoir à présenter un certificat médical de **non contre-indication** est un gage de sérieux de la part du laboratoire qui le demande, et évite les débordements et dérapages qui font du tort à ce régime. En effet, ce type d'attitude expose aux rechutes de manière inéluctable, et aux critiques qui ne manquent pas d'accompagner ces piètres résultats.

« Contrôle médical indispensable »

Priorité, donc : un certificat médical. C'est d'ailleurs au médecin de connaître la composition des différents produits proposés sur le marché et de vous en informer afin que vous puissiez faire votre choix en toute connaissance de cause. Le choix ne doit concerner que des produits qui satisfont aux recommandations officielles en vigueur à propos de la qualité des protéines au niveau énergétique, en macro-nutriments, en micro-nutriments, en vitamines et minéraux, en teneur en acides aminés essentiels et en digestibilité.

« Des goûts et des couleurs »

Enfin, le choix des produits peut se faire, à qualités égales, à partir de critères d'appréciation très personnels : différents goûts, arômes, texture, bonne miscibilité des protéines. Les laboratoires ont tous, à ce niveau, fait d'énormes progrès et proposent des produits très variés et palatables (littéralement : « agréables au palais »). On a que l'embarras du choix..

Lire les étiquettes

La bonne composition d'un sachet :

- 16 et 19 g de protéines. Comme on l'a déjà vu, la dose de **protéines** nécessaire à maintenir au mieux la masse maigre est de l'ordre de 1,5 g par kilo de poids idéal (et non par rapport au poids de la consultation).

- 3 à 4 g de glucides par sachet. Pour ce qui concerne la teneur en sucres (**glucides**) des sachets, toute l'attention portera sur le fait de limiter au maximum cet apport, non pas pour une raison calorique (les glucides ne sont pratique-

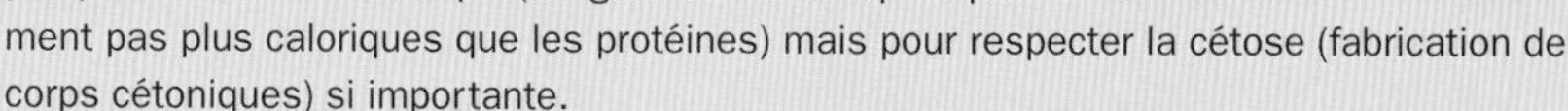

ment pas plus caloriques que les protéines) mais pour respecter la cétose (fabrication de corps cétoniques) si importante.

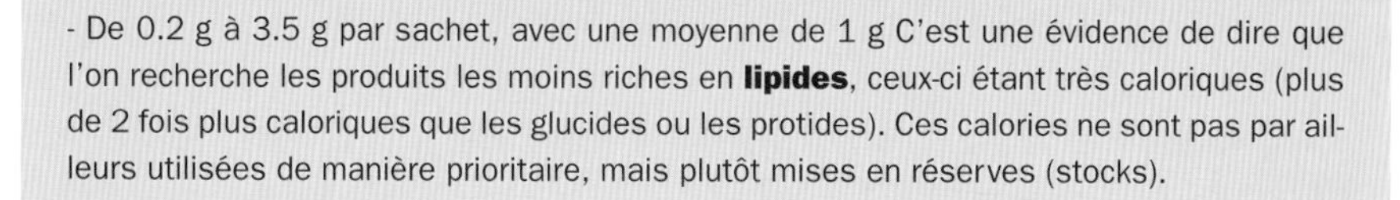

- De 0.2 g à 3.5 g par sachet, avec une moyenne de 1 g C'est une évidence de dire que l'on recherche les produits les moins riches en **lipides**, ceux-ci étant très caloriques (plus de 2 fois plus caloriques que les glucides ou les protides). Ces calories ne sont pas par ailleurs utilisées de manière prioritaire, mais plutôt mises en réserves (stocks).

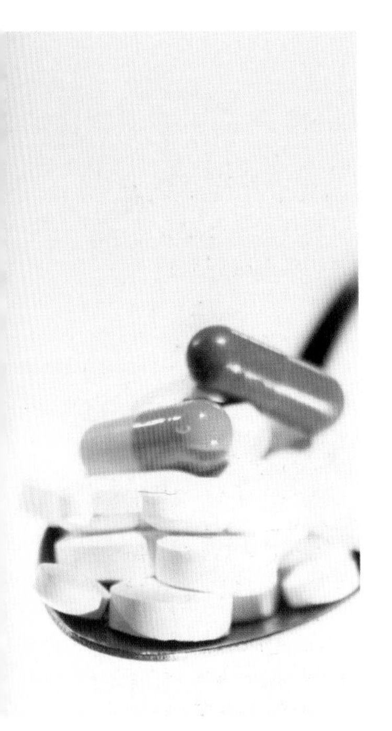

Supplémentation indispensable

La cure de vitamines, minéraux et oligoéléments, est loin d'être superflue !

La première phase du régime protéiné ne comportant que des sachets et des légumes verts, il serait inconcevable de ne pas supplémenter en vitamines et minéraux. En effet, le but de cet apport va être de compenser le manque, ou les carences, que peut engendrer l'absence d'alimentation diversifiée. On évite ainsi fatigue, crampes et hypotension.

Du potassium

Une supplémentation est systématique car un sous dosage en Potassium, peut avoir des conséquences très fâcheuses : faiblesse musculaire extrême, importantes douleurs dorsales, anomalies à l'électrocardiogramme et troubles du rythme cardiaque. La prescription médicale (ordonnance obligatoire) se fait à des doses souvent importantes, allant de 3 à 6 g par jour et parfois plus. Le médecin aura soin de choisir une forme de Potassium adaptée à la légère acidose provoquée par le jeûne et évitant les ulcérations digestives. Il n'y a pas lieu de craindre de surdosage si l'examen clinique et les examens complémentaires ont confirmé l'absence de contre-indications et le bon fonctionnement des reins (l'excès possible de Potassium étant alors éliminé dans les urines).

Du chlorure de sodium

Une des caractéristiques de la phase initiale est de ne comporter que des sachets et des légumes verts ; c'est-à-dire un apport calorique très faible. Or, tous les régimes très hypocaloriques ont en commun le fait de favoriser la diminution du volume sanguin circulant : on dit qu'ils sont « hypovolémiants ». Cette hypovolémie peut avoir des conséquences graves au niveau de la santé, notamment par le biais de l'hypotension artérielle qu'elle engendre. C'est pourquoi la prescription de chlorure de sodium (**sel**) s'avère indispensable à ce niveau, car le sel est le seul élément qui s'oppose à l'hypotension et à l'hypovolémie. On pourrait bien entendu se contenter du classique et banal sel de table, mais les quantités à atteindre (3 à 6 g / 24 h) sont plus importantes que les doses dont l'organisme a habituellement besoin (1 à 2 g / 24 h). Il faudrait, de ce fait, aimer vraiment le goût salé pour pouvoir ajouter aux légumes autorisés 2 à 3 g du sel de la salière par repas ! Avec pour conséquence à long terme de pérenniser l'attirance pour les aliments très salés, ce qui n'est pas souhaitable du point de vue médical.

Du calcium

Il est généralement admis que la production de corps cétoniques (cétose) pourait être à l'origine d'un intense catabolisme osseux, c'est-à-dire d'une fuite importante du calcium hors du tissu osseux. Cela se traduit cliniquement par des crampes et des sensations désagréables au niveau cutané. C'est pourquoi certains auteurs, dont le Docteur Cahill, préconisent une supplémentation en calcium lors de cette première étape, à raison d'1 à 1,5 g par jour.

Besoins quotidiens en vitamines et minéraux

Vitamine A : 5000 UI*
Vitamine D : 400 UI*
Vitamine E : 30 UI*
Vitamine C : 90 mg
Vitamine B1 : 2,25 mg
Vitamine B2 : 2,6 mg
Vitamine B6 : 3 mg
Vitamine PP : 20 mg
Vitamine B5 : 10 mg
Vitamine B12 : 9 mcg
Acide folique : 400 mcg
Fer : 27 mg
Calcium : 162 mg
Cuivre : 3 mg
Manganèse : 7,5 mg
Zinc : 1,12 mg
Magnésium : 100 mg
Potassium : 7,5 mg
Iode : 0,15 mg
Phosphore : 125 mg

**Unités Internationales*

Enfin, l'ajout vitaminique comportera un **complexe riche** en **magnésium**, **vitamines**, dont **vitamine C**, **zinc**, **fer**, et autres **oligoéléments** (c'est-à-dire éléments présents en très petites quantités dans l'organisme, mais indispensables à son bon fonctionnement).

TROIS ÉTAPES POUR RÉUSSIR

La phase active totale ou TGV

On démarre fort avec la phase active totale qui permet de maigrir à très grande vitesse mais sur une courte distance.

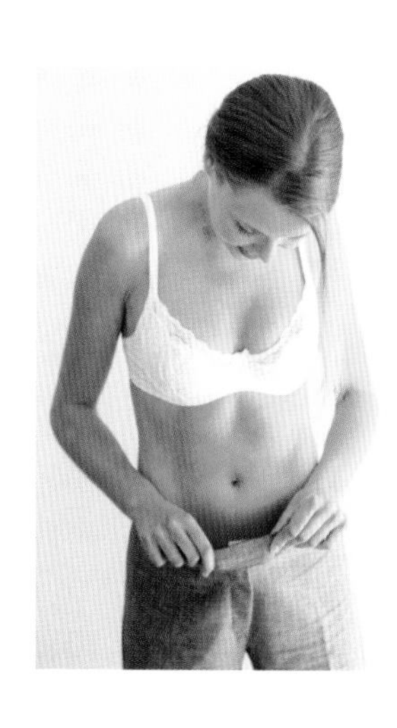

Il s'agit du véritable **starter**, qui va générer des résultats tout de suite **encourageants**. Ceux-ci se font sentir, bien sûr, au niveau du poids, mais plus encore au niveau des vêtements car c'est la masse grasse qui fond. Or, le gras a une densité plus faible que le muscle ; c'est-à-dire qu'il ne pèse pas très lourd, mais prend beaucoup de place. En perdant du gras, on va donc **perdre des centimètres**. C'est très gratifiant car tout le monde peut le constater et les remarques flatteuses ne se font pas attendre.

Une phase courte

Cette phase est courte et ne doit durer généralement que **2 à 4 semaines d'affilée**. Heureusement d'ailleurs, car elle nécessite une adaptation de l'emploi du temps et de la vie sociale. En effet, aucun écart n'est permis durant cette période, sous peine de « casser » le cétose (qui apparaîtra en 48 heures environ). Cela sous-entend la quasi-obligation de refuser les invitations, les réceptions, les repas d'affaire, et les petites (ou grandes) bouffes

entre copines par exemple. La difficulté va, pour cette raison, résider dans le côté marginalisant du régime.
Il faut vous organiser de manière à ce que le planning (privé comme professionnel) puisse être en adéquation avec les consignes. On se doit d'être quasiment « monomaniaque » et ne penser à manger que des sachets et des légumes, ou des légumes et des sachets, ou inversement… (de manière un peu psychorigide, certes).

De quatre à sept sachets…

La quantité de sachets dépend de l'objectif, en terme de poids de forme, que l'on s'est fixé : si ce poids est, par exemple, 60 kg, la dose de protéines est comprise entre 72 et 90 g par jour (soit 1,2 à 1,5 g de protéine par kilo de poids). Il ne reste plus qu'à diviser ce chiffre par la quantité protidique contenue dans chaque sachet pour connaître le nombre de sachets à prendre dans la journée. En général, on consomme entre **4 et 6 ou 7 sachets par jour**.
La prise des sachets doit obligatoirement se faire en les diluant avec de l'eau, et non avec du lait, même écrémé, comme cela peut parfois se lire sur les notices d'utilisation. La raison en est simple : le lait contient du lactose, qui est un authentique glucide (sucre), susceptible donc de réduire à néant la cétose. Le choix des arômes, en revanche, est libre, après s'être assuré de la composition adéquate des produits, et rien n'empêche par exemple de prendre 5 fois un arôme sucré. De même, les heures de prise des sachets sont totalement libres et peuvent varier d'un jour à l'autre : on peut prendre 5 prises distinctes un jour (exemple : matin, matinée, midi, après-midi, et soir), et ne prendre que 3 prises le lendemain, en prenant les sachets 2 par 2 le midi et le soir.

La phase active totale ou TGV (suite)

Et de la verdure...

En plus des sachets, les **légumes verts** sont autorisés, à volonté pour certains, ou de manière plus limitée (200 g pesés crus) pour d'autres. L'assaisonnement permettra un peu de matières grasses, mais à doses surveillées : 1 c. à soupe d'huile (olive, noix, ou colza par exemple) par repas (soit 2 c. à soupe/jour). Les épices, herbes, citron, vinaigre, et autres condiments sont généreusement employés pour rehausser les goûts, en faisant preuve d'imagination et d'inventivité.

Il faut aussi boire très abondamment de l'eau (2 litres / jour), du thé et du café (sans sucre) et des infusions. On évite dans la mesure du possible les boissons sucrées, même édulcorées, pour éviter de pérenniser l'attirance pour le goût du sucre et l'habitude de boire sucré.

Enfin, il est évident que l'on ne peut **pas** concevoir cette phase sans l'adjonction de compléments, tels qu'ils ont été précédemment mentionnés : sodium, potassium, calcium, magnésium, vitamines, et oligoéléments. L'ordonnance est en principe **obligatoire**, ne serait-ce que pour le potassium.

L'ordonnance type

Il ne s'agit là que d'un exemple à adapter à chaque cas :

- **Potassium** (chlorure de potassium, ou tartrate de potassium) : 3 cp 2 fois par jour (matin et soir), à adapter selon la symptomatologie (douleurs dorsales, fatigue anormale).
- Comprimés de **chlorure de sodium**, si possible gastrorésistants (afin d'éviter les intolérances digestives) à 500 mg : prendre 3 cp midi et soir, au milieu des repas (prévenir le médecin si vertiges ou chutes tensionnelles).
- **Calcium**, dosé à 500 mg : 2 comprimés par jour en une prise.
- **Magnésium** : choisir une présentation en évitant celles qui pourraient contenir du sucre (préférer les comprimés aux ampoules). Posologie à augmenter si crampes. Prendre les comprimés (2 fois 2 cp) si possible au milieu des repas pour atténuer les désagréments gastriques du magnésium.
- **Complexe multi-vitaminique**, à prendre le matin exclusivement en raison de la présence de vitamine C.

Les légumes

Ils peuvent être frais, surgelés ou en conserves. On peut les préparer crus, cuits à la vapeur, à l'eau, à l'étouffée, en papillote ou sur une feuille de cuisson permettant d'éviter les matières grasses.

À volonté : toutes les salades, artichauts, asperges, blettes, choux et brocolis, céleri branche et rave, champignons, concombres et cornichons, courgettes, endives, épinards, fenouil, soja, poivrons verts, radis, haricots verts, poireaux.

Limités à 200 g par jour (pour des raisons de teneur en sucre) : aubergines, cœur de palmier, navets, poivrons rouges et jaunes, salsifis, tomates, potiron.

Une phase active mixte

Après la phase de régime TGV on passe au régime express avec des protéines naturelles en alternance.

Le principe général est la réintroduction, à l'un des deux principaux repas (phase mixte limitée) ou aux deux repas (phase mixte modérée), des protéines animales habituellement présentes dans une alimentation diversifiée, c'est-à-dire viandes, poissons ou œufs, en veillant toutefois à rester prudent quant à leur teneur en graisses (notamment saturées) et à leur mode de cuisson.

« À faire les yeux fermés »

Cette partie est, à l'instar de la première, très gratifiante car les résultats sont nets et sans bavure. Mais comme elle devient plus permissive (il ne faut rien exagérer, c'est très relatif), elle est plus douce, plus lente et dure donc nécessairement plus longtemps que précédemment. On a l'habitude de proposer un premier épisode de 1 mois pour cette séquence, éventuellement renouvelable.

« En profiter à pleines dents »

Néanmoins, malgré cet aspect un peu plus doux, cette phase est généralement très appréciée pour diverses raisons. On va enfin pouvoir « mordre » . C'est en effet à ce niveau que l'on réintroduit les « vraies » protéines animales, viandes et poissons : l'envie de mastiquer quelque chose de consistant est aussi légitime qu'importante.

« Rendez-vous (enfin) à table »

En outre, cette phase ouvre une perspective nouvelle, sinon festive, qui est le retour, timide et balbutiant à une vie relationnelle, conviviale, amicale, professionnelle, qui pourra se (re)faire autour d'une table. En effet, même si l'on évite les desserts, rien n'empêche ici d'aller au restaurant car on peut toujours et partout commander un plat de poisson ou une grillade avec des légumes.

« Ce soir, je me lâche ! »

Enfin, cette phase est vraiment intéressante, car elle permet les excès ! La sortie au restaurant, telle que décrite ci-dessus, n'a rien d'un excès, mais permet simplement d'avoir une vie moins marginalisante qu'au tout début. Autant il était primordial de ne pas déroger pendant l'étape 1, autant il y a moyen de se rattraper dans cette 2ème phase si l'excès est inévitable. Les sachets seront alors utilisés le lendemain même de l'écart pendant une journée en suivant la même procédure.

Les vitamines

La supplémentation en calcium et en vitamine C reste inchangée dans la mesure où les produits laitiers et les fruits sont encore absents. Le potassium, présent dans la viande et le poisson, peut être diminué de moitié (protéines animales à un des 2 repas) ou arrêté (protéines animales aux 2 repas). De même pour le chlorure de sodium en veillant néanmoins à bien surveiller la pression artérielle. On a sans doute intérêt à conserver le magnésium et le complexe de vitamines, minéraux et oligoéléments pour prévenir les carences dans cette partie du régime, encore assez restrictive.

Les protéines autorisées

- 150 g de viande maigre : blanc de poulet, cuisse sans la peau, escalope de dinde, veau (escalope, filet, jarret), lapin, gibier, dindonneau, foie, jambon blanc (découenné, dégraissé), bœuf maigre (bavette, onglet, hampe, araignée, steak haché à 5 % de matières grasses).
- 150 g de poisson gras : saumon, thon, maquereau, flétan, sardines, hareng
- 200 g de poisson maigre ou mi-gras : tous les autres.
- Crustacés et coquillages.
- 2 œufs, 2 à 3 fois par semaine.

Une variante naturelle

Si l'idée d'avaler de la poudre matin, midi et soir vous paraît trop frustrante, misez sur les protéines naturelles !

Le principe de la phase d'attaque est identique à celui présenté avec les sachets : beaucoup de protéines sous forme de poissons et de viande, des légumes verts et des crudités à volonté et quasiment rien d'autre, si ce n'est 1 cuillerée à soupe d'huile (d'olive) par repas.

De nombreux avantages

- La mastication conservée, parfois très appréciée de tous ceux qui ne souhaitent pas se nourrir de sachets à diluer.
- L'accès facile aux « produits » puisque la viande, le poisson ou les œufs s'achètent partout, contrairement aux sachets qui doivent s'obtenir au(x) laboratoire(s) ou se commander par correspondance ou enfin se trouver dans certaines pharmacies uniquement.
- Le respect d'une certaine convivialité, car ainsi, même au régime, on mange la même chose que le reste de la famille (ou presque…).
- Une diététique plus compatible avec une vie professionnelle, familiale et amicale faite entre autre de repas.
- La prise de compléments alimentaires, minéraux et oligo-éléments est réduite, puisque

En pratique

Vos choix alimentaires sont réduits mais vous n'aurez pas faim. Chaque jour :
- Viande-poisson-crustacés-œufs : 2 portions de 200 g ou 3 œufs.
- Légumes : à volonté parmi les moins sucrés : champignon, laitue, épinard, concombre, cresson, brocoli, endive, céleri-rave, oseille, citron, fenouil, chou vert, radis, courgette.
- Huile : 1 cuillerée à soupe par repas.

Votre journée type

Petit-déjeuner : 1 œuf et 1 tranche de jambon, thé vert sans sucre
Midi : Salade avec crevettes, laitue, concombre, cabillaud poché au citron, courgettes.
Dîner : Soupe de cresson, poulet au gingembre, épinards.
Un petit creux : des radis
Ou
Petit-déjeuner : 2 œufs brouillés, café sans sucre
Midi : plateau de fruits de mer sans pain ni mayonnaise, laitue.
Dîner : velouté d'endives aux lamelles de jambon, escalope de veau aux champignons, salade.
Un petit creux : 2 tranches de jambon maigre.

les protéines animales contiennent du potassium et que l'on peut les saler.

Des inconvénients

Ce type de régime est parfois plus difficile à mettre en place qu'une « phase-sachets » pure.

- La première raison invoquée est que la viande, le poisson ou les œufs, sont nécessairement plus gras que les sachets. On passe de ce fait d'un régime très strict de 2 semaines à une phase (toujours très stricte) de 3 à 4 semaines.
- De plus, cette attitude thérapeutique nécessite une connaissance un peu plus pointue des différentes viandes et poissons, obligeant ainsi à faire un choix (qui n'existe pas lorsque l'on opte pour les sachets) et à surveiller le mode de cuisson.
- Les quantités de protéines animales devant être ingérées sont importantes et peuvent en rebuter plus d'un : manger tous les midis et tous les soirs 200 g de viande et/ou poisson (ou 3 œufs) n'est pas forcément du goût de tous, d'autant que le petit déjeuner doit lui aussi être protéiné et que tout le monde n'a pas forcément envie de prendre des œufs tous les matins au saut du lit.
- Enfin, le régime protéiné suivi avec des sachets de manière exclusive dans un premier temps permet une réelle coupure avec les habitudes antérieures, ce qui n'est pas le cas de la « modalité carnée ». Beaucoup de personnes ayant choisi ce type de régime savent souvent ce à quoi ils s'exposent au début et y notent spontanément l'avantage de rompre avec leurs mauvaises habitudes. La notion de rupture est ici souvent positive.

Alors, sachets ou viande ?

Choisissez en fonction de vos goûts, de votre emploi du temps professionnel et familial et de vos desiderata. On peut aussi imaginer une modalité mixte, s'inspirant des 2 méthodes et où existeraient alternativement (1 jour sur 2, ou midi, ou soir seule-

Zoom sur l'index glycémique

Pour maigrir vite, privilégiez les aliments à index glycémique bas.

On parle d'index glycémique pour tous les aliments contenant des glucides (sucres). En effet, tous ces glucides ne se ressemblent pas. Ils se présentent de façon tout à fait variée dans les aliments ; leur absorption et leur distribution dans l'organisme sont, elles aussi, très diversifiées.
Certains glucides ont une structure chimique plutôt complexe, d'autres à l'inverse sont plus simples. En outre, certains sont absorbés rapidement, d'autres au contraire beaucoup plus lentement.

Les notions de base

L'index glycémique d'un aliment représente la capacité de cet aliment à faire monter le taux de sucre dans le sang (glycémie), de manière plus ou moins élevée et plus ou moins rapide.
Plus l'index glycémique est élevé, plus la capacité à faire monter, beaucoup et vite, la glycémie est grande. À l'inverse, plus l'index glycémique est bas, et moins le taux de sucre dans le sang varie.
En pratique courante, il n'est pas nécessaire de retenir par cœur les valeurs absolues des index glycémiques des différents aliments. Il est en revanche beaucoup plus pratique de connaître leurs valeurs relatives les uns par rapport aux autres, et ainsi de pouvoir faire des comparaisons. Il semble utile de savoir par exemple que la purée de pommes de terre a un index glycémique plus élevé que les pommes de terre

entières, ou qu'un jus d'orange a un index glycémique supérieur à l'orange fraîche et entière avec laquelle le jus a été fait.

Plus il est haut, plus on a faim

Les répercussions de l'index glycémique sur l'impact pondéral ne sont pas négligeables : plus un aliment a un index glycémique élevé, plus la glycémie est susceptible de monter, assez vite et assez haut. Évidemment, ceci n'est pas sans conséquences. Une glycémie élevée entraîne secondairement une production accrue d'insuline (par le pancréas), précisément pour faire baisser ce taux de sucre dans le sang. Jusque-là, tout va bien, puisqu'il s'agit d'un bon système de régulation de la glycémie.

Malheureusement la sécrétion d'insuline entraîne 2 autres conséquences plus fâcheuses.

- D'une part, la glycémie finit par trop chuter, provoquant une hypoglycémie réactionnelle, qui donne envie de se « re-sucrer », qui donne donc faim et envie de manger. C'est d'ailleurs la raison pour laquelle on dit que le sucre appelle le sucre.
- D'autre part, l'insuline est une hormone qui favorise le stockage des graisses (lipogenèse) et qui s'oppose au déstockage de celles-ci (lipolyse). Avec pour conséquence : prise de poids plutôt que maintien ou amaigrissement.

Des index surprenant

Néanmoins, la notion d'index glycémique seule n'est pas tout à fait représentative de la réalité pratique. En effet, prenons l'exemple du potiron : celui-ci a un index glycémique très élevé (75), mais sa teneur en glucides digestibles est très faible (4 g pour 100 g). Pour calculer son index glycémique, on a donc comparé l'effet sur la glycémie d'une valeur de référence avec la même valeur de potiron : la référence étant de 25 g de glucose, on a dû prendre en compte l'effet de 25 g de glucides utiles dans le potiron. Pour atteindre cette dose, il faudrait en ingérer 625 g. Or, la portion habituelle de potiron correspond plutôt à 100/125 g Comme la teneur en glucides digestibles est de 4 %, l'apport sera donc de 5 g de glucides. Ainsi, la capacité à faire monter la glycémie d'une portion « normale » de potiron est assez basse, contrairement à ce que pourrait laisser croire son index glycémique. Ce facteur de correction s'appelle la charge glycémique.

LES TROIS PHASES DE TRANSITION

Ces phases, dites de transition, font suite aux deux premières parties qui constituent la phase dite active.

Un bon début

Pour apprendre à manger correctement, on commence par faire un bon petit déjeuner.

Restez très prudent dans ce début de transition. On commence par réintroduire, dans la vie de tous les jours, un **petit-déjeuner** bien équilibré et des **fruits** bien choisis, c'est-à-dire en évitant les plus riches en sucres

« Le meilleur moment de la journée »

Prendre un bon petit-déjeuner est un premier pas vers la **rééducation alimentaire**. On sait en effet que plus de 75 % des gens en surcharge pondérale (3 sur 4) ne mangent pas le matin, soit par faute de temps (mauvaise raison), soit par habitude et manque d'envie (à rectifier). Ce n'est, bien sûr, pas la seule cause de leur surcharge, mais c'est presque une constante qu'il faut se dépêcher de modifier.
Si l'on ne mange pas le matin, on ne donne rien à brûler à l'organisme. Or après une nuit de sommeil, donc de jeûne, on a normalement besoin d'énergie, c'est-à-dire de combustible. Si ce n'est pas le cas, on se met dans une situation d'**économie** calorique, d'**épargne** métabolique, de manière à pouvoir « tenir » sans rien à brûler. Les brûleurs métaboliques sont donc très faibles et quand le repas de midi arrive, même s'il est équilibré, il est très mal et très peu brûlé. Autrement dit, ne pas faire de petit-déjeuner expose à moins bien utiliser ce que l'on mange au cours du reste de la journée.

« So what »

Première étape de rééducation alimentaire, le **petit déjeuner** ne s'improvise pas : autrement dit, il faut manger mais pas n'importe quoi.
Un petit déjeuner idéal doit comporter **4** grands groupes nutritionnels :

- du **liquide** : thé ou café, sans sucre ou avec édulcorant.
- de la **vitamine C** : des fruits (orange, pamplemousse, 2 kiwis) préférables aux jus de fruits (cf. encadré).
- du **calcium** : 1 yaourt, lait 1/2 écrémé, fromage blanc, fromage (30 g)
- de l'**énergie** : 2 à 3 tranches de pain (avec beurre, **ou** confiture, **ou** miel), céréales « nature » (c'est-à-dire en évitant celles qui contiennent autre chose que des céréales. Pas de noix de coco, chocolat, noisettes, raisins secs, etc.), des protéines (1 à 2 tranches de jambon blanc, 30 g de fromage, 1 œuf).

Enfin des fruits !

En outre, cette phase comporte la réintroduction de **2 fruits** dans la journée, en évitant les plus sucrés (fruits secs), les plus riches (oléagineux : arachides, pistaches, noix de cajou, avocats), et ceux que l'on a tendance à manger sans compter (cerises, abricots, raisin). Le nombre de sachets diminuera au cours de cette phase, puisque ceux (ou celui) du petit déjeuner sont enlevés. On n'en garde donc qu'environ 2 par jour, en collation ou en dessert (« vraies » protéines aux 2 repas). De temps en temps, quand on est un peu « charrette » le matin, manger un sachet plutôt que ne rien manger du tout reste une solution de secours très acceptable.

Jus de fruits en question

On peut souvent avoir l'envie de remplacer le fruit du matin par un jus de fruit. C'est parfois possible, mais il serait faux de croire que c'est équivalent. En effet, les fibres contenues dans le fruit frais sont utiles au niveau digestif, et permettent, de plus, au fruit de se comporter comme un sucre lent. Un jus de fruit et le sucre qu'il contient sont, au contraire, absorbés très vite, et se comportent, eux, comme un sucre rapide. La différence n'est pas négligeable, car un sucre rapide va entraîner une montée rapide de la glycémie (taux de sucre dans le sang) et une réponse insulinique importante (sécrétion d'insuline par le pancréas).

La voie lactée

Des yaourts, du fromage, du fromage blanc... plutôt le matin que le soir.

Après avoir autorisé le fructose des fruits, cette phase se propose de réintroduire les **produits laitiers** car ceux-ci contiennent aussi un sucre assez simple à brûler par l'organisme : **le lactose**.

Des atouts diététiques

Les produits laitiers sont une source non négligeable de **protéines** animales. Comme on l'a vu depuis le début, l'apport de protéines est toujours le bienvenu dans la situation restrictive que représente un régime.
Les produits laitiers sont aussi la principale source de calcium biodisponible. Seules certaines eaux de boisson contiennent également du calcium assimilable par l'organisme.
Néanmoins, tous les produits laitiers ne se valent pas : certains contiennent plus de lipides que d'autres. Il semble logique de consommer au début des produits peu gras.
On consomme dans un premier temps des produits laitiers **maigres**. On peut, par exemple, choisir des yaourts à 0 % de matière grasse ou des fromages blancs maigres.

Le camembert le matin

Le fromage étant en général plus gras que les autres produits laitiers, on l'évite au début, avec toutefois deux propositions pouvant être alléchantes car elles font entorse à cette règle.

L'intérêt du tryptophane

Certains laboratoires (de plus en plus) proposent des barres protéinées enrichies en Tryptophane : il s'agit d'un acide aminé (élément constitutif des protéines) essentiel car c'est le précurseur de la sérotonine. Cette substance est un neuromédiateur cérébral circulant dans le cerveau qui participe à la régulation de l'humeur, du sommeil, mais aussi de l'appétit et des compulsions alimentaires. Idéalement, ces barres protéinées enrichies en Tryptophane doivent être consommées à distance des repas, avec un fruit car le fructose favorise l'absorption du tryptophane.

D'une part selon les règles de la chrononutrition, on peut manger le fromage le matin. Pour les amateurs de petit-déjeuner « salé », l'occasion de se faire plaisir est belle.
D'autre part, certains fromages sont nettement plus maigres que d'autres et sont admis rapidement dans le protocole. C'est notamment le cas du chèvre frais (environ 2 % de matière grasse) et de la cancoillotte. Dans ces deux cas de figure (prise matinale ou fromage maigre), les produits laitiers autorisés comprennent aussi un peu de fromage : une portion représente environ 30 à 40 grammes, dont on prend 1 fois / jour.

La bonne dose

Pour avoir la dose quotidienne recommandée en calcium, il est nécessaire de consommer 3 produits laitiers par jour. On peut en prendre un à chaque repas, ou en garder un en collation, vers 16 ou 17 h par exemple. Les yaourts à 0 % peuvent être aromatisés aux fruits, car encore une fois, le fructose apporté par les fruits est un glucide facile à brûler par l'organisme.
Les sachets protéinés ne sont plus indispensables à ce stade. Toutefois, pensez aux barres protéinées pour les fringales : 1 à 2 barres par jour sont autorisées.

La collation

La collation se distingue du grignotage compulsif, inopiné, en ce sens qu'elle est préméditée et choisie : prendre 1 yaourt ou 1 fruit, voire même une tranche de pain complet (nature) vers 17 h, est en effet très différent en terme de comportement et de répercussion sur la balance, de se ruer sur une friandise ou une viennoiserie quand on a été stressé toute la journée et que les nerfs lâchent.

Vos menus

Ce stade de rééducation alimentaire permet de mettre en évidence les « fondamentaux » de l'alimentation équilibrée :
Un petit déjeuner complet :
Boisson (hydratation)
Fruit (vit. C) et produit laitier (calcium et protéines animales)
Pain ou céréales (fibres, sucres lents, énergie)
Déjeuner et dîner basiques :
Viande ou poisson (protéines)
Légumes verts et crudités (fibres, vitamines)
Fruit et produit laitier
1 c. à soupe d'huile (colza, noix soja) par repas (lipides végétaux riches en acides gras polyinsaturés, bons à la santé).

Beaucoup d'eau (1,5 litre / jour) et peu de sel.

C'est la fin (des haricots)

Programmez la « Pasta-party »... Cette étape marque la fin de la consommation quasi exclusive des légumes verts.

Cette dernière étape de transition annonce le retour des sucres complexes dans vos assiettes... Autrement dit, à vous les pâtes, le riz, les légumes secs. A condition de préférer ceux qui présentent un index glycémique bas.

Les moins sucrés

On préfère le pain complet, les pâtes *al dente*, les pommes à l'eau qui ont un index glycémique bas. C'est important car l'index glycémique est le reflet de l'augmentation du taux de sucre dans le sang après avoir ingéré l'aliment. Ainsi un index glycémique élevé tend à faire monter « vite et haut » la glycémie. L'énergie apportée par un aliment à index glycémique bas est plus étalée dans le temps sans montée brutale de la glycémie. L'organisme se sert donc mieux de cette énergie plus répartie, et la réponse insulinique sera moindre. Tout bénéfice, donc, puisque les calories sont mieux distribuées dans le temps et moins mises en réserves.
Même si dans les phases précédentes, on pouvait manger un peu de riz ou de pâtes, c'était de manière uniquement occasionnelle et sans que cela fasse partie du programme de rééducation alimentaire. Maintenant, manger des féculents va devenir une « obligation ».

Mode d'emploi

Les principaux féculents sont les pâtes, le riz, les pommes de terre, le blé et la semoule, auxquels il faut ajouter les légumes secs (haricots secs, fèves, lentilles assez riches en protéines végétales et en fer), les farineux (maïs, petits pois) et le pain.
- Choisissez du pain complet plutôt que du pain blanc dont l'index glycémique est plus élevé.

- Pour les pommes de terre, on évite la purée à index glycémique élevé et les frites ou les pommes de terre sautées, très riches en lipides. Privilégiez les pommes de terre au four, à l'eau ou encore à la vapeur en gardant la peau.
- En ce qui concerne les pâtes ou le riz, la quantité se mesure sur les aliments pesés crus, soit environ 70 et 100 grammes par portion. Le rythme de consommation dépend de l'activité physique : tous les jours pour un grand sportif ou un travailleur de force, et plutôt un jour sur deux au début pour quelqu'un de plus sédentaire.
- Pour se comporter comme des sucres lents, les féculents n'ont pas nécessairement besoin d'être complets, mais doivent être associés, au cours du repas, à la même quantité de légumes verts ou crudités. En effet, les fibres de ces derniers ralentiront l'absorption des féculents. En outre, il est préférable de faire peu cuire les féculents lorsque cela est possible (pâtes *al dente*) car en cuisant (avec l'action de la chaleur et donc du temps de cuisson), l'amidon des féculents se transforme en sucre.
- Enfin, l'adjonction de féculents au régime alimentaire doit se faire en faisant constamment attention à ne pas y inclure trop de matières grasses, animales notamment. Donc, des pâtes, oui mais pas au beurre ou à la crème et aux lardons (carbonara) ou au parmesan. On les préfère avec des tomates, des courgettes, du basilic, de l'ail et un petit filet d'huile d'olive par exemple.

Les 3 règles à retenir

En résumé, manger des féculents est possible en faisant attention :

- À ce que l'on mange avec.
- À ce que l'on met dedans.
- À la cuisson.

L'ÉQUILIBRE ALIMENTAIRE

Retour à la normale

Même si l'équilibre suit des principes identiques pour tous, il doit être adapté à chacun.

L'alimentation va maintenant être normale ! Sachez toutefois que la normalité d'une alimentation varie en fonction de très nombreux facteurs comme l'activité physique ou au contraire la sédentarité, le sexe, l'âge, les habitudes et les goûts, l'origine ethnique, l'appartenance religieuse, le travail, le climat. D'une manière plus globale, on peut dire que beaucoup d'alimentations dites normales peuvent être fort éloignées les unes des autres et malgré tout parfaitement convenir à leurs consommateurs.

« Une valeur à géométrie variable »

L'équilibre alimentaire n'est pas synonyme de poids figé une fois pour toutes. Le poids, à l'instar de nombreux paramètres du corps (température, pouls, tension artérielle) est variable. Il est donc tout à fait normal qu'il oscille autour d'une valeur moyenne, dite d'équilibre, qui dépend des apports (donc de ce que l'on mange) mais aussi des sorties (de ce que l'on brûle). C'est important à retenir car cela fait implicitement intervenir des facteurs non nutritionnels dans le concept de poids d'équilibre. L'équilibre est fragile, en perpétuelle instabilité. Et la vigilance est nécessairement au programme de la vie de tous les jours, au même titre que l'on fait attention à soi quotidiennement dans tous les domaines touchant à l'hygiène. Cela ne veut pourtant pas dire qu'il faut constamment être vigilant, mais simplement qu'il faut en permanence redresser le cap après un écart.

Garder le cap

La conduite d'un poids de forme ne se fait pas en respectant à la lettre des règles hygiéno-diététiques apprises dans un livre (et que tout le monde connaît) et appliquées de manière automatique, mais en s'adaptant aux *alea* de la vie de tous les jours, et aux « tempêtes » nutritionnelles qui viennent immanquablement émailler le parcours (anniversaires, mariages, fêtes). C'est la raison pour laquelle l'idée de conserver le plaisir est primordiale dans l'équilibre, non seulement pondéral, mais aussi psychologique. À condition néanmoins d'assumer ce plaisir et de ne pas culpabiliser parce que l'on a fait une entorse. Ce n'est pas bien grave à condition de rattraper : faire un écart festif n'est que le reflet d'une vie normale et agréable, alors que rester dans des règles intangibles est le témoin d'un esprit en frustration.

« Entrons dans la cour des grands »

L'orientation générale des conseils alimentaires porte sur les nutriments jusque-là considérés comme interdits ou autorisés de manière très occasionnelle : en particulier la réintroduction dans la vie de tous les jours de certains lipides, comme le beurre et le fromage, agréables et très utiles (apport de vitamines liposolubles) à condition de ne pas dépasser certaines quantités. Ainsi, on peut manger du fromage tous les jours, mais une portion de 30 à 40 grammes environ, avec une tranche de pain, à l'un des deux principaux repas, et un petit peu de beurre à condition de l'utiliser non cuit (10 g de beurre frais dans les légumes par exemple ou 20 g le matin sur du pain). De même, on peut boire un verre de vin (12 cl) par repas pour les hommes, et plutôt un verre par jour pour les femmes.

Équilibre entre les entrées et les sorties

L'équilibre alimentaire n'est pas un moyen de maigrir encore et toujours, mais de maintenir son poids.

Pour rester à votre poids de forme, apprenez à rattraper les écarts mais aussi à égaliser les niveaux caloriques entre les entrées caloriques et les dépenses même en dehors des périodes d'excès.

Des apports harmonieux

- Les **glucides** : l'idée générale consiste à augmenter la consommation de glucides lents (pâtes, riz), au détriment des glucides rapides (sucre blanc, sucreries, boissons sucrées). La consommation moyenne actuelle de glucides est de 42 %, or il faudrait en consommer 55 %. On voit, paradoxalement, que l'on ne consomme pas assez de glucides, et surtout que cette consommation est très déséquilibrée. Donc : plus de glucides, mais mieux choisis !
- Les **lipides** : aucun doute ici, la consommation actuelle est trop importante, puisqu'elle représente en moyenne 42 % des apports caloriques, alors qu'elle ne devrait représenter que 30 % de ces apports. Un sérieux coup de frein est donc nécessaire. Mais là aussi, ce n'est pas la seule quantité calorique qui va compter, mais sa bonne répartition. Sur l'apport global de lipides,

on doit veiller à ce que la répartition se fasse entre :
- les graisses saturées (33 %) : 10 à 20 g de beurre, 30 à 40 g de fromage
- les graisses mono-insaturées (33 %) : 1 à 2 c. à soupe d'huile d'olive
- les graisses poly-insaturées (33 %) : poissons gras, huile de noix, huile de colza

• Les **protéines** : elles doivent logiquement apporter 15 % environ des calories quotidiennes. Les protéines animales à privilégier sont toujours les protéines maigres en ce qui concerne la viande (viandes blanches, viande rouge maigre) et tous les poissons, puisque les poissons gras sont vivement recommandés (saumon, maquereau, thon, harengs, sardines, flétan) car riches en acides gras poly-insaturés (Oméga-3). Pensez aussi aux protéines végétales (soja, légumes secs, dont lentilles), en sachant qu'elles ne doivent pas représenter la seule source d'apport protidique car elles ne contiennent pas tous les acides aminés essentiels dont l'organisme a besoin.

Des dépenses à comptabiliser

• Les dépenses liées au métabolisme de base. Celui-ci est le reflet de la dépense minimale et indispensable pour le bon fonctionnement de l'organisme : même en dormant, l'usine chimique de notre corps ne chôme pas. Il faut des calories pour la digestion, la respiration, le rythme cardiaque, l'activité cérébrale, les réactions enzymatiques et autres. Cela représente environ 1500 kcal / jour.
• L'activité physique : 80 kcal / heure pour une personne sédentaire, 200 à 600 kcal / heure chez un sportif, et 3 000 à 5 000 kcal / jour pour un travailleur physique. On doit donc tenir compte de ces paramètres pour établir une marche à suivre.
• La thermogenèse alimentaire : il s'agit de l'énergie dépensée par le corps pour utiliser les aliments. Cela veut simplement dire que pour être utilisables, les nutriments font travailler l'organisme (digestion, assimilation, absorption) et l'obligent à dépenser une partie des calories qu'ils apportent. Les glucides apportent 4,5 kcal/g, et l'organisme en dépense 5 % pour les utiliser. Les lipides apportent 9 kcal/g et l'organisme en dépense 10 % pour les utiliser. Enfin, les protéines apportent 4,5 kcal/g et l'organisme en dépense 20 % pour les utiliser. On voit tout de suite un avantage (parmi de nombreux autres) des protéines, assez peu caloriques, et nécessitant beaucoup d'énergie pour être utilisées.

De tout, mais aux bons moments

L'alimentation minceur, c'est aussi une bonne répartition des aliments au cours de la journée.

Pour un grand nombre d'entre nous, une journée alimentaire type c'est un café vite fait le matin, avec, dans le meilleur des cas, un croissant attrapé au vol à la boulangerie du coin et avalé en deux secondes en entrant dans la bouche du métro. Le déjeuner, s'il n'est pas sauté par manque de temps, est remplacé par un sandwich et le soir, on assiste à un retour à la maison inévitablement catastrophique sur le plan alimentaire car c'est le moment où l'on a besoin de trouver un « refuge », un réconfort dans la nourriture, et où tout ce qui tombe sous la main (chips, fromage, chocolats) va être bon à manger. Cette vision certes caricaturale, n'est jamais loin de la réalité.

La répartition alimentaire idéale, elle, suit exactement le chemin inverse de ce qui vient d'être décrit : on devrait s'inspirer de l'adage bien connu : petit déjeuner d'empereur, déjeuner de roi et dîner de mendiant.

7h-12h-20h, mangez autrement

Le petit déjeuner devrait comporter 25 % de l'apport calorique journalier, le déjeuner 50%, le dîner 20 %, et les 5 % restants devraient représenter la collation de milieu d'après-midi.
En outre, l'apport de féculents est souvent préférable le midi au soir car cela permet d'éviter l'hypoglycémie de 17 h et d'avoir une glycémie constante. Il évite aussi une baisse de la sérotonine, neuromédiateur impliqué dans les pulsions sur le sucré en fin d'après-midi.
Enfin, les **matières grasses** sont plutôt autorisées le **matin** (pain-beurre-fromage au petit déjeuner ne posent pas de problèmes diététiques), pour des raisons de chronobiologie et d'enzymes (la lipase pancréatique indispensable à la dégradation des graisses a un taux très élevé le matin vers 8 h, mais qui en revanche a un taux nul le soir vers 21 h).

Quand bien manger devient naturel

Ces notions d'équilibre alimentaire sont assez simples, et largement répandues, de manière consensuelle. Mais elles ne sont pas toujours simples à mettre en pratique. Toutefois lorsque le régime est couronné de succès, on est donc dans le bon état d'esprit pour continuer sur la bonne voie, de manière certes nettement moins restrictive, mais avec attention. Le comportement, schématiquement, évolue en 3 grandes phases successives :

- Une phase de **connaissance** : on sait ce qu'il faut faire (phase du « **savoir** »).
- Une phase d'**action** : on fait ce qu'il faut faire, en y pensant (phase du « **savoir-faire** »).
- Une phase plus **spontanée** : on le fait naturellement, sans y penser (phase du « **savoir-être** »).

Les dangers

Tous les aliments sont autorisés mais certains doivent être consommés avec modération.

Une alimentation équilibrée doit être par définition diversifiée. Il faut manger de tout, de manière variée et adaptée. C'est d'ailleurs ce que font toujours les gens minces et qui le restent : ce ne sont évidemment pas des gens continuellement au régime. Ils savent, soit « naturellement », soit en l'ayant appris et peu à peu intégré dans leur pratique quotidienne, rattraper un écart. Cela signifie que les écarts font partie de la vie, mais qu'il faut demeurer vigilants et connaître les éventuels risques induits par certains aliments.
En effet, même s'il est important de ne pas se forger d'interdits intangibles, il faut connaître le potentiel relativement dangereux de certains produits alimentaires pour le poids, mais aussi pour la santé.

Trois aliments sur la sellette

On peut, schématiquement, identifier 3 grands groupes de nutriments vis-à-vis desquels la plus grande vigilance est de mise : **le sel**, **le gras** et **les boissons sucrées et l'alcool**.

• **Le sel** se trouve déjà dans de nombreux aliments, comme par exemple le pain ou les conserves.
Il se trouve que le sel n'est pas recommandé dans les problèmes de surpoids. D'une part parce que cela ajouterait un facteur de risque cardio-vasculaire au surpoids (qui

en est déjà un en tant que tel). D'autre part le sel favorise la rétention d'eau : manger très salé ne ferait qu'aggraver le volume (gonflement, œdèmes) et donc le poids, non pas du fait d'une augmentation du niveau calorique et de la masse grasse, mais par augmentation de l'eau extra-cellulaire.

• **Le gras**. On sait fort bien que les aliments riches en lipides ne sont pas conseillés de manière répétitive si l'on veut surveiller et maintenir un poids de forme. Ils sont très caloriques (2 fois plus que les glucides ou les protéines) ces calories sont plus stockées que brûlées. On connaît les aliments dont le taux de lipides est facilement identifiable :
- Les viandes grasses (agneau, mouton, charcuteries, certains morceaux de bœuf).
- Les beignets, fritures, friands et autres feuilletés.
- Le beurre, la crème, le fromage.
- Les oléagineux (cacahuètes, pistaches, noix de cajou).

Mais il existe également des aliments dont la teneur en graisses est plus « cachée », donc encore plus dangereuse car moins identifiable que pour les aliments précédents. Ce sont en général des aliments sucrés au goût : il s'agit des friandises, des pâtisseries, des biscuits, des madeleines, des viennoiseries, des glaces (préférer, de loin, les sorbets).

• **Les boissons sucrées**, même celles dites « light », ne sont pas recommandées. En effet, dans le cas de celles qui ne sont pas édulcorées, cela représente un apport calorique excessif. On connaît tous le risque très majoré de surpoids chez les grands consommateurs de soda. Mais les boissons sucrées avec un édulcorant ne sont pas aussi innocentes que ne le laisserait supposer leur nombre de calories (moins de 1 calorie par verre en général). Ce n'est pas l'apport calorique qui est incriminé ici, mais le fait qu'en consommant exagérément ces boissons, on pérennise un goût pour le sucré.

Les boissons alcoolisées sont elles aussi très dangereuses pour le poids. D'une part parce que l'alcool est très calorique (environ 7 kcal/g). Et d'autre part, parce que les calories apportées par l'alcool sont les seules que l'organisme ne sait pas utiliser. Il ne peut donc que les mettre en réserves. Tout bénéfice pour prendre du poids, à tous les coups l'on gagne !

Enfin autonome

Objectif atteint : gérer spontanément son équilibre alimentaire et ses écarts.

Le but des conseils alimentaires est d'atteindre une certaine autonomie et une relative stabilité du poids. Il faut le souligner car les deux (stabilité et autonomie) ne sont pas toujours faciles à obtenir conjointement : on peut stabiliser son poids, mais parfois au prix d'une surveillance, médicale et nutritionnelle, de tous les instants. Inversement, il est aisé de diriger seul la marche à suivre au niveau alimentaire, mais bien souvent il faudra alors s'attendre à des variations pondérales importantes.
Les différentes phases du régime protéiné, appliquées de manière successive, permettent de tendre vers un équilibre nutritionnel. Elles permettent également d'acquérir, progressivement, une certaine autonomie naturelle dans le comportement : il n'est pas rare, par exemple, de se plaindre de ce que le repas auquel on a été convié était, à notre goût, beaucoup trop gras et difficile à digérer. Ainsi, on perçoit mieux les signaux envoyés par le corps (foie, vésicule) nous renseignant sur le niveau lipidique de ce qu'on a mangé : c'est très naturellement qu'on se « met au vert » (potage, crudité, jambon, yaourt) le lendemain. Autrement dit, on n'a pas eu à faire l'effort intellectuel de penser à rattraper un excès. L'envie est venue spontanément.

Au total, une alimentation bien équilibrée doit permettre :
- de ne **pas avoir faim**.
- de **faire des écarts**, mesurés et rattrapés, sans compromettre les résultats obtenus.
- d'**éviter les carences et la fonte musculaire**, d'où l'importance majeure des protéines.

SOS protéines

Même si la phase exclusivement protéinée (sachets et légumes verts associés aux compléments vitaminiques) est loin derrière vous, il ne faut pas sous-estimer le rôle primordial des protéines dans l'alimentation qui doivent rester omniprésentes dans vos menus. Ce sont les seuls nutriments à agir sur le centre de la satiété. En effet, autant les pâtes, les lentilles, les légumes verts et la salade peuvent « caler » l'appétit momentanément au niveau digestif (sensation de remplissage de l'estomac), autant seules les protéines agissent au niveau des centres cérébraux qui régulent la faim et la satiété.
Leur action sur l'appétit aide de nombreux patients en surcharge pondérale et désireux de perdre durablement du poids. Inversement, cela explique que les régimes pauvres en protéines, qui se voient parfois (exemples nombreux : soupe aux choux toute la journée, une semaine de raisin...etc.) sont voués à l'échec (même s'ils font indéniablement perdre du poids au début) car ils ne modifient pas la manière de manger, si ce n'est qu'ils induisent pendant un temps un comportement marginalisant qui, en plus d'être farfelu ou dangereux, aboutit immanquablement à un « phénomène de balancier » déjà vu précédemment : la compulsion alimentaire qui suit ces régimes est à la hauteur de la frustration qu'ils ont initialement engendrée.
Protéines, donc, à tous les étages, en veillant néanmoins à en manger environ 1 fois par jour, 150 grammes à peu près, en évitant les protéines trop grasses (charcuteries, agneau, mouton) ou cuites dans la graisse (fritures, beignets, poissons panés).

Conserver le plaisir

Même si le repas doit respecter certaines règles, il est aussi synonyme de convivialité, de découvertes et d'imagination.

Tout petit déjà, l'envie de manger se manifeste haut et fort : le plaisir que cela procure se voit dès la première seconde ! Tout au long de la vie, par la suite, les moments agréables seront accompagnés de mets délicieux, de tables joliment décorées, de reliefs appétissants, qu'ils soient raffinés et sophistiqués, ou au contraire très simples : un pique-nique en pleine montagne après une randonnée de plusieurs heures est souvent mémorisé comme le meilleur repas du monde ! Les moments difficiles sont, eux aussi, souvent ponctués de bons repas, pour se retrouver, pour réconforter.
Il est donc évident que les moments forts de la vie se passent autour d'une table et que le plaisir de manger fait partie des moteurs de l'existence : dîner en amoureux, réunions familiales, petite bouffe entre amis, conclusion d'une journée de travail, hospitalité dans une contrée lointaine.

Le poids des soucis

Faire un écart chez des amis est festif, joyeux et ça ne se loupe pas ! Au contraire, on s'y prépare, c'est prémédité (pas toujours, d'ailleurs, ça peut aussi être totalement improvisé). Dans tous les cas, on peut le rattraper en faisant un peu plus attention le lendemain. En revanche, les compulsions alimentaires ne relèvent pas du tout du plaisir, mais du besoin irrépressible et souvent angoissant de « se remplir ».

Même si le résultat sur la balance est identique, ce n'est pas la même chose de prendre du poids en grignotant des chips et des friandises dans son coin, tout seul, parce qu'on est stressé, triste ou parce qu'on vient de fêter la victoire de l'équipe de France autour d'un grand buffet de charcuteries, d'une tartiflette géante, de pintes de bières dans un pub irlandais...
Autrement dit, ce n'est pas le nombre de kilos pris qui compte, mais la signification de ces kilos. Prendre 1 ou 2 kilos parce qu'on a fait la fête est le reflet d'un bon état général et de la réalité de tous les jours. Prendre ces mêmes kilos en restant chez soi à pleurnicher devant la télé, sans sortir, sans voir de monde et en avalant machinalement des friandises que l'on n'apprécie même pas est le témoin d'un comportement plus préoccupant qu'il faut s'empresser de soigner.
Il est assez fréquent d'entendre des gens revenir de vacances en ayant peur « des dégâts », car ils se sont quelque peu lâchés à cette occasion, et de constater en fait que la prise de poids est inexistante, ou en tout cas beaucoup moins importante que ne le laisseraient supposer ces écarts. C'est tout simplement parce que l'état d'esprit est différent en vacances, que l'on est plus détendu et plus reposé et que le corps, dans ces conditions favorables, brûle mieux ce qu'on lui donne (d'autant que l'activité physique est en général plus intense que durant le reste de l'année). A contrario, il n'est pas rare de constater une prise de poids d'un ou deux kilos en 1 jour, après une contrariété ou une dispute. Là encore, ce qui intervient n'est pas forcément la quantité calorique ingérée (on ne peut parfois rien avaler du tout) mais les conditions psychologiques qui vont influencer ces modifications du poids.

Les erreurs à éviter

Inutile de compter les calories, car la restriction n'est pas une finalité.

Dans le régime hyperprotéiné, il est rarement question de compter les calories. La raison en est simple : un rapport aux aliments qui se fait sur un mode arithmétique est un rapport faussé et perverti. Surveiller exagérément son alimentation et rechercher en permanence la correction des erreurs empêchent d'être à l'écoute de son corps et des signaux qu'il envoie, par l'intermédiaire du foie, du pancréas, de l'estomac et du cerveau.
C'est pourquoi on ne peut jamais espérer obtenir de bons résultats si on va constamment **vite** pour perdre du poids. Les phases de régime protéiné permettent un encouragement net et non négligeable, mais elles doivent être volontairement courtes. Manger ne doit pas être assimilé à un conflit permanent, à une lutte perpétuelle où la volonté finit toujours par s'émousser.

On arrête les hostilités

La rééducation alimentaire, implicitement acceptée comme faisant partie intégrante du régime protéiné, est basée sur une relation à la nourriture réconciliée, moins obsessionnelle donc moins névrotique. Oublions l'image du corps parfait, mince à tout prix et jeune, véhiculée par notre société où tout semble possible, faute de quoi on a l'impression d'être en échec.
Il faut repenser sa façon de manger dans laquelle le choix des aliments est beaucoup plus important que le poids des aliments. Il s'agit donc de tout sauf d'un état d'esprit d'opposition qui consisterait à tout refuser en

bloc : sa faim et sa satiété, ses goûts et ses dégoûts. Ces refus répétés aboutissent à la négation pure et simple de la réalité. On finit par ne plus penser qu'à ça et à intellectualiser le rapport à la nourriture. À force de toujours penser à manger mieux ou moins, on ne laisse plus de place à ses sensations.

Il est donc nécessaire en nutrition de stopper ce phénomène de spirale. Un résultat jugé « moyen » peut correspondre à un poids d'équilibre et de forme, plus facile à maintenir qu'une lutte acharnée (décharnée) pour perdre à tout prix quelques kilos supplémentaires. On obtient ainsi une régulation du poids, d'abord surveillée puis progressivement autonome.

Quand le stress fait grossir

On connaît tous des gens qui ont plutôt tendance à maigrir lorsqu'ils sont inquiets, anxieux, soucieux. Malgré tout, si l'on regarde les statistiques, on s'aperçoit que ce n'est vraiment pas la majorité. A contrario, les gens que le stress fait grossir sont beaucoup plus nombreux : les chiffres donnent des fourchettes de l'ordre de 80 % pour une prise de poids en cas de stress, contre 15 à 20 % d'amaigrissement.

Deux causes

- La première est alimentaire : quand on est stressé, il n'est pas rare de compenser ce mal-être par la douceur que peut procurer la nourriture.
- La seconde est neuro-hormonale : le stress favoriserait la sécrétion d'une hormone à l'origine d'une expression accrue de ses récepteurs au niveau de la graisse. Autrement dit, même quand le stress est contrôlé au niveau alimentaire, on n'est pas à l'abri d'une prise de poids.

La place du sport

Il faut tordre le cou aux idées reçues, surtout quand elles sont fausses : le sport ne fait pas maigrir !

Alors à quoi bon ? pourrait-on se demander. Il s'avère que le sport ou du moins la pratique d'une activité physique régulière est indispensable, car même s'il est parfaitement exact qu'elle ne fait pas maigrir en tant que tel (le muscle pèse plus lourd que la graisse), elle permet de maintenir un poids stable.
Cette différence de poids entre muscle et graisse vient du fait que la densité musculaire est plus importante que celle du gras. La conséquence (plutôt agréable) est que le muscle prend moins de place et cela se ressent tout de suite au niveau du volume, donc des vêtements. Donc même si le poids ne descend pas en faisant du sport, les retombées esthétiques sont évidentes : silhouette plus élancée et corps plus ferme.
Ainsi les gens qui ont une courbe de poids relativement horizontale sont ceux qui font régulièrement de l'exercice. Ce n'est pas une condition suffisante (on peut faire de l'exercice et avoir des problèmes de poids), mais c'est une condition presque toujours nécessaire.

Mince durablement

Si l'activité physique a un effet modeste sur la perte de poids, son rôle est majeur et aujourd'hui largement reconnu sur le maintien de cette perte de poids.
L'explication vient du métabolisme basal : on sait que celui-ci dépend de la masse

maigre. Quand on fait régulièrement du sport, on entretient sa masse musculaire (maigre) aux dépens de sa masse grasse. Le métabolisme de base est donc toujours assez élevé (les muscles sont beaucoup plus consommateurs de calories, même au repos, que la graisse, plus inerte). De ce fait, grâce à leurs muscles, les sportifs brûlent plus facilement ce qu'ils mangent que les sédentaires, et ainsi mettent beaucoup plus de chances de leur côté de maintenir leur poids de forme.

Fuir la sédentarité

Cet objectif est d'ailleurs prévu par le ministère de la Santé, de la Jeunesse et des Sports. Les retombées positives de l'activité physique ne se font pas sentir qu'au niveau du maintien du poids. On peut citer l'exemple d'une étude réalisée tout dernièrement sur une cohorte d'hommes de 30 à 80 ans à Dallas montrant de très significatives différences d'événements cardio-vasculaires selon le degré d'activité physique.
Attention toutefois à ne pas abuser et à en faire trop, ou mal, car l'activité physique en excès et mal conduite peut aussi être néfaste à la santé.
La reprise d'une activité sportive au cours d'un régime protéiné doit nécessairement être douce :

- pendant la toute première phase (sachets et légumes verts uniquement), on déconseille le sport car cette phase en elle-même sollicite déjà beaucoup les réserves de l'organisme ;
- ensuite, on reprend des activités modérées, telles que marche rapide, course à pied en « trottinant », vélo d'appartement à faible allure.

Ce n'est qu'au moment de la réintroduction des féculents, indispensables combustibles du sportif, que l'on peut suivre un véritable plan d'entraînement en rapport avec ses possibilités (et son emploi du temps...).
On peut conseiller dans l'alimentation du sportif une supplémentation en protéines, précieux nutriments de maintien de la masse musculaire. En général, les barres protéinées sont très appréciées car très commodes à prendre avec soi (dans une poche ou un sac), immédiatement consommables (avant, pendant ou après l'effort) et un peu plus riches en glucides que les sachets, ce qui contribue au bon état général pendant l'activité physique (absence de coup de pompe ou d'hypoglycémie).

Un peu de micronutrition

Apprenons à utiliser les compléments alimentaires dont l'organisme a besoin en très petites quantités, minéraux, vitamines, oligoéléments.

L'objectif de la micronutrition est de contribuer à éviter les carences et déséquilibres alimentaires en apportant à l'organisme les micronutriments dont il a besoin. Ils doivent être biodisponibles : autrement dit être ingérés puis utilisés correctement par l'organisme. On veillera de ce fait :

- à l'origine naturelle ;
- aux doses ;
- aux horaires de prise.

Les produits utilisés

Ils ne sont bien sûr pas tous nécessaires dans la première phase d'un régime protéiné, mais le fait d'entreprendre ce type de régime implique en général l'envie de faire attention à sa santé, et donc à son mode alimentaire en premier lieu. De ce fait, la connaissance des produits utilisés en micronutrition trouve absolument sa place dans la rééducation alimentaire que sous-entend un régime protéiné.

• **Potassium :** il est impliqué dans des fonctions très importantes de l'organisme, en particulier au niveau cardio-vasculaire.
Sa carence peut entraîner une grande fatigue, des douleurs dorsales, des crampes.
L'idéal est de prendre un sel de potassium facilement assimilable et contribuant à limiter l'acidité gastrique, comme le bicarbonate de potassium.

• **Chlorure de sodium :** c'est un cas tout à fait particulier et spécifique de la diète protéinée, puisqu'il s'agit du seul cas (ou presque) où l'on est amené à se supplémenter en sel. Ne pas en prendre lors de la première phase d'un régime protéiné constituerait une grave erreur, exposant à des risques d'hypotension artérielle sévère.

• **Magnésium :** Les carences en magnésium sont fréquentes. Or cet oligoélément participe au bon fonctionnement du système nerveux et des muscles.
Les premiers symptômes d'une carence peuvent être une fatigue, une irritabilité anormale, des crampes et des contractures musculaires, des troubles du sommeil et des angoisses, avec notamment la sensation d'estomac noué.

• **Vitamine C :** elle participe aux moyens de défense de l'organisme, c'est un puissant antioxydant, elle permet au fer d'être absorbé et utilisé, et elle aide à lutter contre la fatigue. Ses indications sont nombreuses : manque de tonus, infections à répétition (rhumes, angines, sinusites), consommation insuffisante de fruits, légumes et produits frais, tabagisme (besoins accrus en vitamine C chez les fumeurs).
Elle est très fragile, détruite par la lumière et la chaleur. Il faut donc faire attention à prendre une vitamine C

naturelle, biodisponible et dont la présentation la protège de la lumière et de l'air.

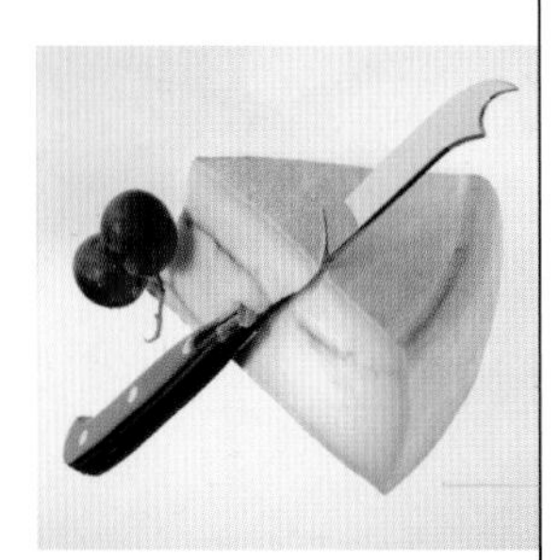

• **Calcium :** il est évidemment impliqué dans la minéralisation osseuse, mais également dans d'autres domaines moins connus tels que la coagulation sanguine, l'équilibre tensionnel, l'influx nerveux ou la contraction musculaire.
Sa carence est relativement fréquente chez les gens n'aimant pas les laitages car la seule source de calcium biodisponible se trouve dans les produits laitiers (ainsi que dans certaines eaux de boisson).

• **Fer :** élément capital pour la santé, le fer est pourtant très souvent insuffisant, en particulier chez la femme (car la perte de sang provoquée par les règles entraîne nécessairement une perte en fer, pas toujours compensée par des apports suffisants).
Il joue un rôle primordial dans le transport de l'oxygène par le sang.
Les carences se rencontrent chez les personnes ne mangeant pas (ou très peu) de viande rouge car c'est la principale source alimentaire de fer biodisponible, ainsi que chez les grands buveurs de thé car la théine s'oppose à l'assimilation du fer au niveau intestinal.
Inversement, la vitamine C favorise son absorption. Il ne faut pas hésiter à supplémenter en fer un assez long moment car les réserves en fer sont lentes à se reconstituer (1 à 3 mois).

• **Antioxydants :** l'oxygène est bien sûr un élément indispensable à la vie, puisque c'est le carburant utilisé par les cellules. Mais cette combustion s'accompagne

inévitablement de déchets très toxiques, les radicaux libres, susceptibles d'endommager gravement nos tissus par oxydation.
Ceci peut entraîner de nombreuses maladies et accélère le vieillissement.
Les principales sources alimentaires d'agents antioxydants se trouvent dans les fruits et les légumes frais, mais d'une part il est fréquent de ne pas en manger suffisamment, et d'autre part certaines circonstances peuvent nécessiter un apport complémentaire : environnement pollué, sport intensif, tabac.

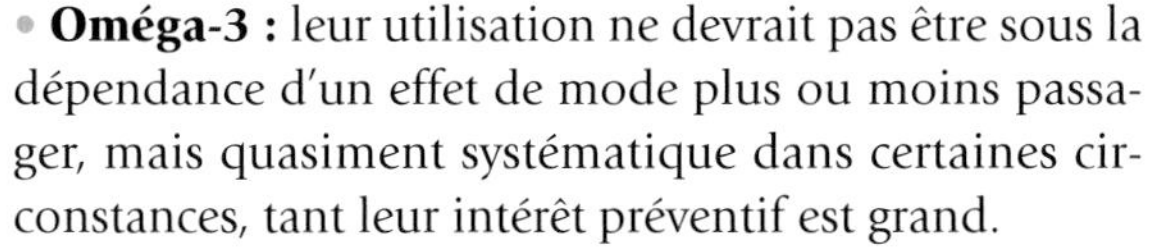

- **Oméga-3 :** leur utilisation ne devrait pas être sous la dépendance d'un effet de mode plus ou moins passager, mais quasiment systématique dans certaines circonstances, tant leur intérêt préventif est grand.

Ces oméga-3 sont des acides gras particuliers (on les appelle « polyinsaturés ») qui ont un rôle très protecteur au niveau cardio-vasculaire. Ils interviennent également dans le développement et le fonctionnement cérébral.
Au niveau alimentaire, on les trouve essentiellement dans les poissons gras (saumon, maquereau, thon, flétan, sardine, hareng) et dans les huiles contenant des acides gras polyinsaturés comme, par exemple, l'huile de colza, l'huile de noix, et l'huile de soja.
Une supplémentation peut s'avérer utile quand la consommation de ces produits est insuffisante, ou lorsqu'il y a des « signes d'appel » faisant évoquer un nécessaire ajout en oméga-3 (antécédents cardiaques, inflammations à répétition par exemple).

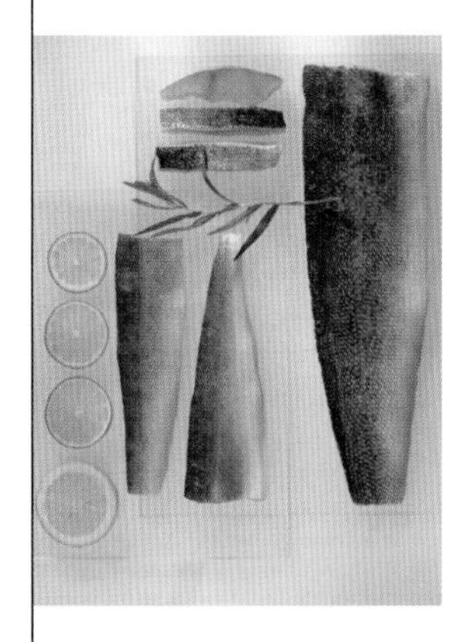

CONCLUSION

Il ne faudrait pas prendre les problèmes de surpoids à la légère...

Toutes les statistiques actuelles font état d'une augmentation de la prévalence de l'obésité. De ce fait, les demandes concernant l'amaigrissement sont, elles aussi, de plus en plus nombreuses.
Les motifs en sont très variés, allant du simple préjudice esthétique au problème de santé grave.

Le régime protéiné s'avère être l'un des plus intéressants, de par son efficacité, sa rapidité, sa simplicité, et l'absence de sensation de faim qu'il procure. Autant de raisons qui font qu'il a séduit beaucoup de monde, patients comme médecins, et qu'il a été largement prescrit ces dernières années. Parfois aussi, il a été mal fait, trop longtemps, sans paliers de réintroduction, en ne respectant pas les indications et les contre-indications, ou en oubliant l'indispensable suivi médical qui doit l'accompagner. Il a alors été critiqué vivement, car responsable d'échecs et de rebonds à l'arrêt du traitement.

Aussi le régime protéiné apparaît-il comme un outil extrêmement efficace, voire exceptionnel par rapport aux régimes hypocaloriques classiques, mais qu'il faut savoir manier à bon escient. À l'instar d'un marteau, par exemple, qui est un outil indispensable pour planter un clou, mais qui peut aussi fissurer tout un pan de mur ou lézarder un billot de bois si on ne l'utilise pas correctement.
En outre, il est primordial de comprendre que ce que l'on entend généralement par « régime protéiné » n'est qu'une partie d'un travail à accomplir pour se débarrasser définitivement d'un problème de poids, un peu comme la partie visible de l'iceberg. Autrement dit maigrir vite, bien, et sans sensation de faim,(ce que l'on est en droit d'attendre en faisant un régime protéiné), n'est pas synonyme d'être mince, d'avoir un poids de forme qui se maintient, et de manger avec plaisir. Cette manière d'être nécessite un apprentissage, une rééducation qui ne fait pas appel qu'à des notions diététiques, mais comportementales et physiques. Il faut donc accepter la notion de travail et d'effort, ainsi que de persévérance, si l'on veut aboutir à un résultat réellement satisfaisant. Alors, dans ces conditions, le régime protéiné est un instrument terriblement efficace, inégalé, dont on peut se servir de manière tout à fait gratifiante, car les avantages qu'il comporte et le bien-être qu'il procure sont suffisamment encourageants pour se sentir capable d'entreprendre et de poursuivre les efforts conduisant à la réussite complète de cette démarche, primordiale et pleine d'avenir : être bien dans son poids.

QUESTIONS / RÉPONSES

J'ai pris 5 kilos, le régime protéiné est-il adapté ?

Soyons très clairs : l'indication médicale d'un régime protéiné ne concerne que les IMC (indices de masse corporelle) supérieurs à 30. Autrement dit, à un stade où l'on est déjà dans la définition de l'obésité.
Toutefois, lorsque l'on a 3 à 5 kg à perdre, on peut suivre une semaine de régime protéiné même si cela n'entre pas formellement dans les indications officielles d'un tel régime.

Est-il indispensable dans tous les cas de consulter un médecin ?

Il ne peut y avoir aucun doute à ce sujet, la réponse est toujours oui, étant entendu que l'on parle bien du régime hyperprotéiné et non de la prise occasionnelle d'un substitut de repas ou d'une collation hyperprotéiné. Dans ces cas, pas besoin de médecin bien sûr.
Dans une première phase stricte, une prescription médicale devrait toujours accompagner la prescription de sachets afin d'éviter les contre-indications à ce type de régime, peser attentivement les indications, la posologie et le temps de traitement, faire une ordonnance médicale destinée au pharmacien pour les minéraux, vitamines, et oligo-éléments (le potassium par exemple n'est jamais anodin et doit être délivré sur ordonnance), procéder à un interrogatoire minutieux, à un examen clinique complet et prescrire les examens complémentaires si besoin (prise de sang, électrocardiogramme).
En outre, démarrer par un régime protéiné implique nécessairement une démarche plus globale que la simple prise de sachets pendant 2 à 4 semaines, et ici encore l'aide d'un médecin, en général nutritionniste est utile.

Ce type de régime est-il dangereux ?

Le premier danger provient du fait même qu'il s'agit d'un régime. Tout régime présente le risque de passer à côté de l'essentiel qui relève plus de la rééducation alimentaire que le simple fait de perdre des kilos.
Le risque du régime protéiné est qu'il est terriblement efficace et donc victime de son propre succès. L'échec est assuré si on l'entreprend sans respecter les indications

et les contre-indications, les posologies et les temps de traitement et si on l'arrête brutalement dès que le résultat escompté est arrivé, sans réapprendre progressivement au corps à brûler peu à peu tous les nutriments. Autrement dit sans avoir modifié son mode alimentaire.
Enfin, il est dangereux de ne manger que des protéines (ou presque) pendant 15 jours. C'est pourquoi une surveillance médicale est indispensable, notamment pour s'assurer du bon fonctionnement des reins et du foie.

Faut-il attendre d'être en vacances pour faire ce type de régime ?

Les vacances sont souvent un moment très favorable pour la régulation du poids. Le fait d'être détendu et dans un contexte différent de celui de la vie de tous les jours permet de mieux brûler ce que l'on mange (même si ce que l'on mange est atypique et un peu excessif en vacances).
Si les vacances représentent un moment idéal pour sortir, voir des amis, goûter aux spécialités locales et faire la fête, alors le régime protéiné ne peut pas y avoir sa place. Les vacances n'auraient plus alors de vacances que le nom.
Si à l'inverse ce moment de congé correspond à une baisse totale d'activité, sans projet de sortie particulier, chez soi ou à la campagne par exemple, ce régime peut être opportun et mieux convenir qu'en période de travail, où le stress, les déplacements et les repas d'affaires perturbent la bonne marche du régime protéiné.

Peut-on envisager de prendre des sachets à un repas et des protéines naturelles à l'autre ?

Absolument et c'est même une solution qui présente l'avantage de ne pas se couper totalement de l'entourage, permettant de faire un repas en famille le soir ou de ne pas refuser un repas d'affaire à condition de savoir quand même limiter ce repas à des protéines naturelles peu grasses et à des légumes verts : un poisson au court-bouillon, un filet de dinde, ou un steak grillé par exemple. Sachez néanmoins, les protéines naturelles sont inévitablement plus grasses que les protéines en sachets et cet excès de lipides ralentit forcément la perte de poids. On peut donc conseiller ce type de séquence, dite « mixte » pour certaines occasions seulement (cas de force majeure).

Peut-on adapter ce type de régime à un enfant ?

Non, jamais et sans aucune concession ou aménagement possibles.
Le problème d'un enfant en surpoids est éminemment multifocal et relève d'une prise en charge globale, non seulement de l'enfant lui-même, tant physique que psychologique, mais aussi de son entourage, parents, école, cantine, activités physiques scolaires et extra-scolaires.
En outre, on ne devrait jamais proposer un régime, quel qu'il soit, à un enfant car cela ne résout jamais le problème, voire l'aggrave et s'avère dangereux.

Peut-on manger beaucoup de protéines toute sa vie ?

Cela n'est pas souhaitable, au même titre qu'il n'est pas souhaitable de suivre un régime *ad vitam eternam*. Autrement dit, le régime hyperprotéiné n'est pas le reflet de l'alimentation de la vie de tous les jours et ne correspond qu'à un moyen momentané pour obtenir un état qui sera ensuite favorable à l'apprentissage d'une alimentation correcte. Mais ce moyen est limité dans le temps. Les protéines en quantités importantes ne sont qu'un outil pour parvenir à un stade ultérieur, où l'alimentation sera probablement moins riche en protides et beaucoup plus diversifiée.
En outre, pour des raisons de santé, il n'est pas souhaitable de manger trop de protéines sur le long terme : les déchets azotés qui résultent de leur métabolisme peuvent endommager les reins. Enfin, on sait que chez les enfants, une grande consommation de viande est corrélée à un risque accru de surcharge pondérale à l'âge adulte.

Où trouve-t-on des produits fiables ?

C'est en général le médecin qui connaît les laboratoires proposant des produits fiables, non seulement au niveau des doses de protéines (16 à 19 g par sachet semble être un apport correct), et des glucides (le moins possible pour ne pas casser la cétose), mais aussi au niveau de la qualité de ces protéines (apport en acides aminés essentiels, bonne digestibilité).
Les produits de ces laboratoires sont parfois distribués en pharmacie, ou s'obtiennent en vente par correspondance, en échange d'un certificat médical de non contre-indication ou enfin ont parfois un point de vente dans certaines grandes villes.
Il est, encore une fois, bien entendu que l'on parle de la première phase d'un régime protéiné strict, ce qui n'a rien à voir avec l'achat occasionnel de substituts de repas qui peuvent se trouver beaucoup plus aisément et se délivrer en vente libre.

Les préparations liquides sont-elles plus efficaces que les préparations solides ?

C'est effectivement souvent le cas, tout simplement parce que les préparations solides (biscuits, cakes, pizzas, spaghetti, et autres plats préparés) sont trop riches en glucides pour obtenir une cétose. Néanmoins, certains laboratoires commencent à proposer des entremets ou des crèmes-desserts compatibles, à condition de n'en prendre qu'une unité ou deux par jour, avec la première étape du régime.

Peut-on consommer régulièrement des en-cas protéinés vendus en pharmacie ?

Il vaut effectivement mieux consommer en collation une barre protéinée vendue en pharmacie qu'une friandise type barre chocolatée toujours extrêmement riche en graisses cachées.
Il faut néanmoins veiller à lire l'étiquetage et à connaître la composition de ces en-cas protéinés, de manière à intégrer leur valeur dans la ration calorique et protidique quotidienne, au risque sinon de se retrouver dans une situation d'excès calorique ou de protéines.
Enfin, ce n'est pas forcément parce qu'un produit est vendu en pharmacie qu'il est bon à prendre sans circonspection, et les allégations santé sont parfois trompeuses. Prudence donc, face à la pléthore de choix.

Une journée hyperprotéinée occasionnelle, en lendemain d'un excès ou d'une fête, peut-elle éviter perdre du poids ?

La réponse est oui, du moins en théorie, à condition de faire vite et bien : c'est bien le lendemain d'un excès que l'on a le plus de chances de le corriger, et non en s'y prenant le surlendemain ou 2 jours plus tard (même si ce n'est souvent qu'à ce moment que la balance montre l'impact de ces agapes). Suivre une journée protéinée en rattrapage peut donc s'avérer efficace et un bon moyen de ne pas culpabiliser en faisant un écart, puisque l'on sait que celui-ci sera facilement annulé grâce à ce protocole.
Toutefois, une journée de ce type n'est utile que lorsque l'on sera en période de perte de poids, car le résultat est rapide et permet le surlendemain de se remettre au régime. Pas de perte de temps, donc. Mais si l'on fait une sortie un peu excessive alors que l'on se trouve en période de stabilisation du poids, il n'y a aucune raison de se précipiter, puisque la simple reprise d'une alimentation équilibrée et moins riche viendra tout naturellement à bout des éventuels kilos pris à cette occasion.

Peut-on être résistant au régime hyperprotéiné ?

On ne peut pas l'être mais on peut le devenir.

Si l'on a un passé ponctué de nombreux régimes hypocaloriques (protéinés ou autres), alors le métabolisme s'est habitué à brûler très peu de calories (puisqu'on ne le lui en donnait pas), et se met ainsi dans une situation d'économie d'énergie, d'épargne calorique. Dans ces cas, l'organisme n'est pas vraiment résistant au régime hyperprotéiné (le terme est un peu fort), mais il y répond moins.

La morale de tout cela, tout le monde la connaît : surtout ne pas passer sa vie à faire des régimes *a fortiori* lorsque ceux-ci sont très restrictifs.

Faut-il boire des eaux diurétiques ?

La question est amusante car ce qui est diurétique dans une eau dite « diurétique », c'est l'eau elle-même. La réponse serait donc plutôt qu'il faille boire de l'eau (celle que l'on veut) pour avoir un effet diurétique.

La seule réserve que l'on puisse émettre est d'être vigilant quant à la teneur en chlorure de sodium de certaines eaux (gazeuses généralement) car le sel a une action antidiurétique. Il peut favoriser la rétention d'eau. Les boissons contenant de fortes teneurs en sel sont donc à éviter.

Peut-on maigrir sans faire du sport en complément ?

Sans aucun doute et inversement on peut grossir en faisant du sport.

La régulation de la perte de poids ne provient que de la balance calorique. Pour maigrir, il faut que les calories ingérées soient inférieures aux calories dépensées. On peut très bien y parvenir par le seul biais de l'alimentation, tout simplement en réduisant ses apports caloriques.

Inversement, l'activité sportive va s'accompagner d'une prise de masse musculaire. Or, le muscle pèse plus lourd que la graisse. Il n'y a donc pas de raison de s'attendre à une perte de poids en faisant du sport.

Peut-on maintenir son poids sans faire de sport ?

Dans ce cas précis, et ô combien fréquent, la réponse est beaucoup plus nuancée. Autant, comme on vient de le voir, le sport ne fait pas maigrir, autant il est le meilleur régulateur du maintien du poids.

Il semble donc assez difficile de maintenir son poids sans pratiquer une activité phy-

sique. Elle doit être douce (marche soutenue, jogging en trottinant, vélo en se baladant, natation), régulière, fréquente (3 fois par semaine pour le sport, tous les jours pour la marche à pied), et prolongée (30 minutes de footing, 35 de natation, 1 heure de vélo, 30 à 40 minutes de marche).
Les études montrent un maintien du poids plus aisé chez les gens pratiquant régulièrement et souvent du sport sur une période de 30 ans.

Comment fonctionnent les balances à impédancemétrie ? Sont-elles fiables ?

Le principe de ces balances est d'envoyer à travers le corps un micro-courant électrique. Raison pour laquelle il faut se peser pieds nus sinon le courant ne passe pas. Une des propriétés du courant électrique, appelée impédance, est d'être ralenti lorsque celui-ci traverse de la graisse. Le courant envoyé par la balance va moins vite lorsqu'il rencontre du gras que dans le reste de l'organisme.
En fonction du temps (en millièmes de secondes) mis par le courant pour traverser le corps, la balance peut calculer le taux de masse grasse dans celui-ci. Il s'agit donc d'une vraie mesure, et non simplement d'une formule toute faite (un peu à l'instar de l'indice de masse corporelle, qui n'est que le rapport du poids sur le carré de la taille et ne tient pas compte du taux de graisse ou de muscle).
Les études réalisées en milieu hospitalier, en particulier à l'hôpital Bichat à Paris, montrent une marge d'erreur des bonnes balances de l'ordre de 0,5%, donc tout à fait acceptable.

MENUS

Petit déjeuner

- Complément polyvitaminique, contenant en particulier du calcium, du magnésium, et de la vitamine C.
- Thé ou café, sans sucre. L'aspartam est autorisé, en sachant néanmoins qu'il vaut peut-être mieux éviter de pérenniser le goût pour le sucré. Le lait, même à 0 %, doit être consommé avec la plus extrême prudence, non pas pour une raison calorique, bien sûr, mais parce qu'il contient, comme tout produit laitier, du lactose qui est un glucide. Or nous avons vu que l'excès de glucides pouvait « casser » la cétose induite par ce type de régime, si utile au début pour couper la faim et les pulsions alimentaires.
- 2 œufs préparés sans matières grasses : durs, sur le plat (dans une poêle avec un revêtement anti-adhésif) ou en omelette par exemple.
-1 à 2 tranches de jambon blanc découenné dégraissé ou de jambon de dinde ou de poulet.

Déjeuner

- 150 à 200 g de viande ou de poisson, en sachant que l'on est plus près des 150 g pour la viande et des 200 g pour le poisson. Mais tout peut se modifier, en fonction notamment de l'appétit, du sexe donc de la masse musculaire, du poids à obtenir in fine, et il n'est pas impossible du tout d'autoriser 200 g de viande à quelqu'un au déjeuner. On évite les viandes grasses (agneau, mouton, et en général le porc), les fritures et les beignets (de poisson) et les poissons panés (trop gras). La cuisson privilégie les grillades, le four, le micro-ondes, la cuisson en papillote, le bain-marie ou les conserves de poissons au naturel.

- Des fibres végétales de type légumes verts et crudités en quantités quasiment libres, bien que pour certains auteurs, certains légumes particulièrement riches en glucides sont à éviter (betteraves) ou à consommer en quantités limitées (200 g de carottes et de tomates). Le but étant toujours le même : éviter de « casser » la cétose par un apport trop important en glucides. On peut assaisonner les légumes (poivre, herbes condiments, un peu de sel, matières grasses végétales) à condition de ne pas dépasser l'équivalent d'une cuillérée à soupe d'huile à chaque repas (soit 2 par jour).

Dîner

Mêmes aliments qu'à midi, mais on peut suggérer de commencer le repas par un ou deux bols de soupe de légumes, à condition que celle-ci ne contienne ni matière grasse (beurre, crème, fromage), ni féculent (pâtes, vermicelles, pommes de terre). Les courgettes sont idéales pour avoir le « liant » et épaissir la soupe.

Collation

C'est au moment de la collation que l'on peut néanmoins se servir d'un sachet protéiné, parfois plus agréable à consommer qu'une boîte de thon par exemple... Certains laboratoires proposent d'ailleurs des boissons ou des crèmes desserts prêtes à consommer (donc faciles à emmener au bureau et ne nécessitant aucune préparation). Mais il faut éviter de consommer des barres protéinées, toujours trop riches en sucres pour cette première phase.

Les titres disponibles chez Alpen Éditions

- *Alcool, vin et santé*
- *Arrêter de fumer… c'est possible*
- *Asthme sous contrôle*
- *Astro plantes*
- *Bien vivre après un infarctus*
- *Contrôlez votre acidité. L'équilibre acido-basique*
- *Cuisson et santé*
- *Dites non au cholestérol*
- *Docteur, c'est la prostate ?*
- *Docteur, j'ai un psoriasis*
- *Drépanocytose et thalassémies*
- *Eliminez le sel, retrouvez la forme !*
- *Énergie et médecine chinoise*
- *Fatigue chronique, fibromyalgie*
- *Ginseng : mille ans de bienfaits*
- *H5N1 la grippe aviaire*
- *Je nourris mon enfant*
- *La diététique du diabète*
- *La nouvelle ménopause*
- *La nouvelle minceur*
- *La santé bucco-dentaire*
- *La souplesse*
- *La vérité sur les vaccins*
- *Le chocolat, du plaisir à la santé*
- *Le guide de phytothérapie*
- *Le guide pratique des vitamines*
- *Le mal de dos, c'est fini*
- *Le pouvoir des oméga-3*
- *Le régime hyperprotéiné*
- *Le sommeil retrouvé*
- *Le syndrome XXL*
- *Les 120 plantes médicinales*
- *Les bienfaits de la mer*
- *Les bobos de vos enfants*
- *Les bons sucres pour maigrir*
- *Les compléments alimentaires*
- *Les miracles du soja*
- *Les nouvelles plantes qui soignent*
- *Les plantes du bonheur*
- *Les remèdes de la ruche*
- *Les secrets de santé des antioxydants*
- *Les secrets de santé du thé*
- *L'hypertension artérielle*
- *L' olivier, trésor de santé*
- *Maigrir après 40 ans*
- *Maigrir à l'aide des compléments alimentaires*
- *Maigrir avec la diététique chinoise*
- *Maigrir selon son type hormonal*
- *Maigrir selon vos hormones*
- *Mémoire totale*
- *Millepertuis : l'antidépresseur naturel*
- *Montignac : recettes desserts minceur*
- *Montignac : recettes entrées minceur*
- *Montignac : recettes poissons minceur*
- *Montignac : recettes viandes minceur*
- *Plus jamais fatigué !*
- *Prévenir Alzheimer*
- *Programme anti-âge*
- *Programme jambes légères*
- *Programme jeunesse*
- *Relations amoureuses sexualité*
- *Revivre après une séparation*
- *Rhumatismes : votre ordonnance naturelle*
- *Soigner et préserver ses cheveux*
- *Stress contrôle*
- *Une grossesse heureuse*
- *Une peau zéro défaut*
- *Vaincre l'allergie*
- *Victoire sur l'arthrose*
- *Vivre avec un enfant hyperactif*
- *Votre santé par les huiles essentielles*
- *Votre santé par les plantes*

Pour être tenu informé régulièrement des nouvelles parutions d'Alpen Éditions, vous pouvez vous inscrire sur notre site internet : **www.alpen.mc** ou adresser vos coordonnées et/ou votre adresse email à l'adresse suivante :

Alpen Éditions - 9, avenue Albert II - 98000 Monaco